Nunca treze à mesa

Orietta del Sole

Nunca treze à mesa

Andanças e histórias gastronômicas

Organização:
EDUARDO LOGULLO

COMPANHIA DAS LETRAS

Projeto gráfico e capa:
Silvia Ribeiro

Ilustrações:
Bob Custódio

Consultoria técnica:
Nina Horta

Preparação:
Márcia Copola

Revisão:
Isabel Jorge Cury
Ana Maria Barbosa

O organizador agradece
a colaboração de
Carlos Takeshi

Dados Internacionais de Catalogação na Publicação (CIP)
(Câmara Brasileira do Livro, SP, Brasil)

del Sole, Orietta
Nunca treza à mesa : andanças e histórias gastronômicas / Orietta del Sole ; organização Eduardo Logullo. — São Paulo : Companhia das Letras, 1997.

ISBN 85-7164-663-5

1. Culinária 2. del Sole, Orietta, 1922–1995 3. Gastronomia 4. Gastronomia – História I. Título.

97-1826 CDD-641.013

Índice para catálogo sistemático:
1. Gastronomia : Relatos : Economia doméstica 641.013

1997

EDITORA SCHWARCZ LTDA.
Rua Bandeira Paulista, 702, cj. 72
04532-002 — São Paulo — SP
Telefone: (011) 866-0801
Fax: (011) 866-0814

ÍNDICE

APRESENTAÇÃO

Fogo por baixo, invenção por cima.

Abrir a tampa. Quem raspar o tacho na história da gastronomia vai encontrar pencas de criadores marcantes. Ainda bem que das cozinhas contemporâneas continuam a sair cardumes de personagens que exercem a intrigante capacidade de dominar alimentos, elaborar comidas e orquestrar paladares. Domadores de molhos, amestradores de essências, arquitetos da mais fugaz das artes, os regentes de panelas atingiram nos últimos tempos um contraponto desnorteador na pasteurização das papilas gustativas, além de escalar etapas de prestígio equivalente ao de cantores líricos. Fechar a tampa.

Ligar o forno. Alguns cozinheiros são DJs de caçarolas: cozinham com assinatura, lambuzam-se de velhas bossas culinárias, embaralham receitas de esquimós com gosmas urbanas, rabiscam impulsos adquiridos à beira de muitas bocas de fogo e muitas bocas com gula. Certos seres provenientes da cozinha são escultores do efêmero. E lambem beiços feito sacerdotes do culto às quatro faces da língua. Desligar o forno.

A italiana Orietta del Sole (1922-95), inventora dos relatos e receitas deste livro, nunca pretendeu pertencer ao clubismo estético dos gourmets. Orietta, doidivanas dos paladares, tentou louvar os variados vapores que impulsionam as cozinhas. Croc, croc, croc. Vasculhava gavetas com anotações perdidas, testava segredos roubados, desobedecia a leis físicas e, por fim, cenografava abundâncias. Sua colher de pau parecia avisar: é necessário destacar sabores, cores, formatos e contrastes na produção de alimentos. Orietta venerou o termo *abundância*. Croc, croc, croc.

Intermezzo: as mesas de Orietta funcionavam como arenas para colagens de imagens, objetos e pesquisas de materiais, mais alguns resultados extrapanelas de suas atividades como artista plástica, criadora de *wearables* e jóias. Seus jantares em São Paulo apresentavam acabamentos primorosos, contornados por antagonismos. A inteligente fusão começava da relação de convidados (dez pessoas, no máximo, de famosos a anônimos venezianos), passando pela sucessão aparentemente interminável de tigelas fumegantes trazidas ao salão vermelho pela fiel Maria.

Toalhas birmanesas podiam combinar com talheres San Marco em prata. Copos de cristal com bordas em ouro faziam contraponto a arranjos gigantescos de alhos uruguaios ou montes de abóboras e flores silvestres compradas por ela mesma — de madrugada — no Ceagesp. Antigas garrafas esculpidas em vidro, ilhadas por montes de pimenta vermelha, transportavam silenciosas mensagens de vilarejos do Mediterrâneo. Faianças portuguesas e guardanapos egípcios pareciam concordar com aquelas receitas que certamente seriam consideradas desconexas em casas de culinária monocórdia. Orietta, dramática, sentava-se por último na mesa oval. Surgia vestida em túnicas estampadas com motivos étnicos, sempre coberta por dezenas de colares (alguns feitos de milho mexicano, outros em prata espanhola seiscentista), pronta para reger com júbilo os movimentos de entrada dos oito ou dez pratos. Comida, diversão e abundância. Arte à mesa.

Levantar fervura. Acontece que Orietta del Sole era italiana. De Roma. Desde cedo, apurou faro e paladar em situações gastronômicas privilegiadas, apresentadas pela família aristocrática — que sofreria na Segunda Guerra, ao lado da *ragazza* Orietta, o baticum destruidor de Mussolini. A seqüência de aventuras existenciais — e culinárias — mesclou-se (como lasanha preparada em camadas geológicas) a viagens por sessenta e tantos países, mais a mudança radical para a América do Sul. Baixar fervura.

Colada ao companheiro inseparável, o advogado italiano e empresário Bruno Aldo Federico Colagrande, a abundante Orietta atravessou as décadas de 50 e 60 entre Argentina e Uruguai. Em 1977, o casal parte em busca do porto seguro chamado Brasil — onde seqüestros políticos ocorriam com freqüência menor do que na região do Prata. Por culpa dessa maçarocada ítalo-argentino-uruguaio-brasileira Orietta jamais encontraria um equilíbrio lingüístico. Misturava, em seus diálogos entusiasmados, empanada com banana, ópera com canjica, pastasciutta com farofa.

Os relatos reunidos neste livro contam, sob o jorro impetuoso da abundantíssima autora, histórias que nem sempre acabam em comida. Porém, Orietta, abundantemente planetária, parece deixar claro que todos os caminhos interessantes culminam em mesa. Ou em beiras de fogão. Ou em portas de geladeira. Ou em lambeção de panelas. Todo o poder às massas.

Os textos surgiam às vezes em faxes quilométricos, pontilhados por desenhos, rabiscos ou observações tão pessoais quanto absurdamente paralelas. Foi complicado peneirar, escorrer e depurar duas centenas de crônicas escritas à mão ou datilografadas no idioma oriettês. Apesar disso, a seleção final dos "contos" (como ela chamava as histórias que escrevia) vai servir — também — para justificar por que a abundantíssima Orietta se autoproclamava "mais barroca que Bernini".

Gratidão, essa palavra-tudo: graças ao auxílio de Bruno Colagrande (o Aldo Federico das crônicas) na recuperação dos textos originais — trabalho quase arqueológico — e à arrumação temática comandada meses seguidos por Carlos Takeshi — função quase cibernética —, a abundante bagunça gastronômica da culinária de Orietta del Sole chega ao ponto. Ou melhor, chega à mesa. Ou melhor, entra em ebulição. Função cumprida, mesa posta e barriga nunca cheia.

Orietta, desce do teto e vem jantar.

Eduardo Logullo

1
2
3
4
5
6
7
8
9
10
1

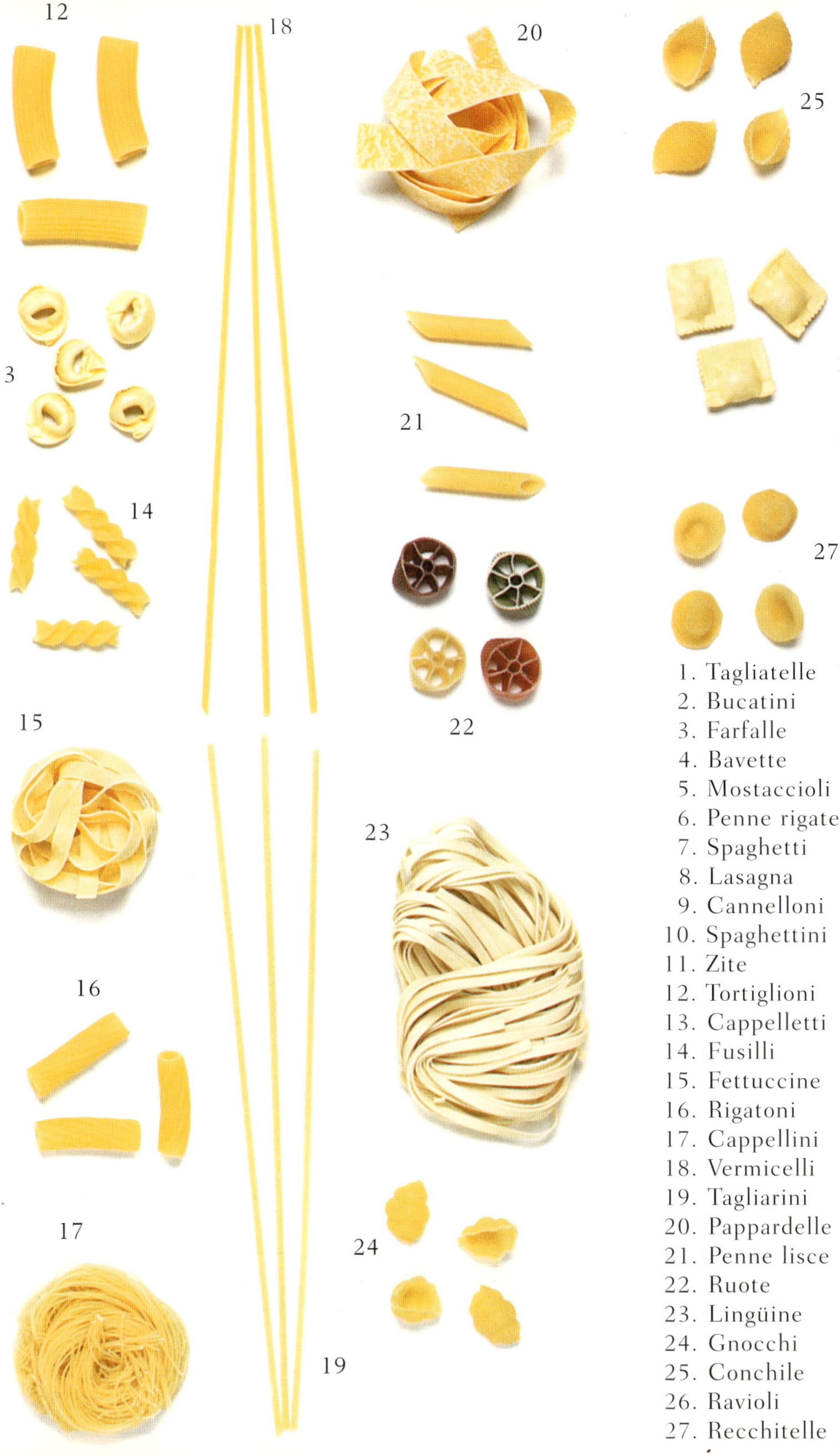

1. Tagliatelle
2. Bucatini
3. Farfalle
4. Bavette
5. Mostaccioli
6. Penne rigate
7. Spaghetti
8. Lasagna
9. Cannelloni
10. Spaghettini
11. Zite
12. Tortiglioni
13. Cappelletti
14. Fusilli
15. Fettuccine
16. Rigatoni
17. Cappellini
18. Vermicelli
19. Tagliarini
20. Pappardelle
21. Penne lisce
22. Ruote
23. Lingüine
24. Gnocchi
25. Conchile
26. Ravioli
27. Recchitelle

SURREALISMO NA COZINHA

Salvador Dalí, o extravagante. Construiu seu personagem como um escultor materializa uma estátua. Primeiro, o esboço. Depois, a forma rústica. Por fim, espertas modificações, emaranhadas nas obras — até que atingisse a perfeição final.

Os olhos arregalados, quase diabólicos, conferiam ao rosto de Dalí a máscara do mistério. Nunca se sabia o que ele maquinava. Os bigodes parafinados, duros e compridos, eram direcionados para o alto ou para baixo: ele afirmava que ali estavam as antenas receptoras para acumular a própria sabedoria. (A propósito: os bigodes dos gatos funcionam como antenas.) As vestes quase renascentistas de Dalí, aliadas à força e ao poder de sua arte genial, somavam-se à forma incomum de engendrar argumentos. O catalão criava situações desorientadoras. Ali estava a sua diversão: assombrar e deixar as pessoas perplexas.

Por inúmeros motivos, tratei de estudar uma receita relatada por ele. Trata-se de uma maluquice culinária proveniente da França do século XVII, segundo fórmula de La Varenne. Terá sido testada? Terá sido eleita (sem remorsos) prato predileto de alguém? É a receita mais cruel que conheço.

Antes de tudo, será necessário um poço. Não muito profundo. Nesse poço, são jogados alguns litros de mel e um pato (ou ganso) vivo. Em seguida, cerca-se a beirada do poço com madeira bem seca. Ateia-se fogo na madeira. A ave, enlouquecida pelo calor, começará a beber a água. E, até a morte, seguirá tomando água com mel, purificando-se internamente e adoçando a própria carne. Depois, qualquer receita escolhida serviria para preparar o pobre animal.

Na mesma linha surrealista de Dalí, passo agora outra receita à base de aves, também tão antiga e curiosa quanto a anterior. Desta vez, utilizam-se várias aves, das maiores às menores. Na primeira fase, devem ser desossadas delicadamente, sem desgrudar-lhes a pele. Depois, tempera-se a menor de todas com sal, pimenta, limão e ervas aromáticas.

As outras aves devem ter o interior de seus corpos temperados com alho, cebola, alecrim, segurelha, hortelã, sálvia, sal e uma ponta de manteiga. Deixam-se ali algumas folhas de cada tempero e põem-se as aves menores nas cavidades dos corpos das aves maiores, de modo sucessivo. Feito um jogo de encaixar.

Quando todas as aves estiverem devidamente encaixadas, amarra-se o corpo da última, aspergindo o conjunto de aves embutidas com bastante suco de limão, antes de lambuzar tudo de manteiga. Colocadas em espeto único, são cozidas em fogo de lenha. Quem desejar atualizar a receita, pode assar as aves em forno bem quente, embrulhadas em papel-alumínio. Neste caso, bastam dois frangos, um dentro do outro, condimentados do mesmo modo que as aves da receita original. Ponha uma caneca com água dentro do forno, para formar vapor. Retire-os quando assados, fatie e sirva sobre alface picotada.

POESIA COM RIMAS ARDENTES

Tive o enorme prazer de receber na minha casa, na minha mesa (e para comemorar o seu aniversário!), um italiano especialíssimo: o poeta Giuseppe Ungaretti. Oferecer pasta a um conterrâneo que viaja é mais do que obrigação. Trata-se de um rito indefectível. O macarrão escolhido para a ocasião, em 1950, em Montevidéu, foi Spaghetti ao Alho, Óleo e Pimenta-Malagueta, venerado pelo poeta. Enquanto comia com voracidade a picante receita, Ungaretti comunicou que naquele dia festejava pela quarta vez os seus vinte anos de idade. Não demonstrei espanto, para quem tinha cabeça de vinte seria natural dividir por quatro os seus oitenta anos. Uma lição de vida jamais esquecida. Pensei que a força da malagueta pudesse ter estimulado — e mantido — aquela dose de lucidez exibida com tanta espontaneidade. Afinal, pimenta também aquece a alma.

Spaghetti ao Alho, Óleo e Pimenta-Malagueta

500 g de spaghetti
3 cabeças grandes de alho

3 pimentas-malaguetas

muita pimenta-do-reino moída

$1\frac{1}{2}$ copo de azeite

Numa panela apropriada, despeje 2 a 3 dedos de azeite. Quando estiver bem quente, comece a fritar todos os dentes de alho (inteiros e com casca) das três cabeças. Mantenha a panela na borda da chama, para que o óleo permaneça quente mas não queime os alhos. Com ajuda de um garfo grande, aperte de vez em quando os dentes de alho, sem retirá-los da fritura. Estarão prontos quando atingirem uma tonalidade dourada e consistência macia. Cozinhe o macarrão ao dente na água com sal e escorra. Na hora de servir, misture as pimentas fatiadas finíssimas e a pimenta-do-reino moída. Adicione então os alhos (alguns com casca), o óleo da fritura e leve à mesa.

GAROTO BORBULHANTE

De Roma a Genebra, o avião quase vazio, os assentos cômodos e o panorama maravilhoso do monte Branco. Tudo parecia branco-azulado. Sendo uma viagem breve, a tripulação não serviu uma refeição completa, mas champanhe e alguns vols-au-vent recheados de macarrões curtos com trufas. Ótimo, pensei, macarrão a bordo. Era uma boa maneira de servi-lo. Sempre achei que a Alitalia deveria gratificar os passageiros com massa. Esta foi a primeira e única vez.

Enquanto comemos e bebericamos sem muita vontade, quis ver quem eram os raros companheiros de vôo. Na mesma fileira, do outro lado do corredor, estavam mãe e filho de talvez oito anos — intensamente ocupado em mexer o seu champanhe com um pauzinho. O menino, lindo, com os cabelos à moda dos Beatles, me olhou e sorriu. Parecia feliz com a espumante bebida. Ao terminar, chamou o comissário e pediu outra taça. A mãe abriu os olhos, não permitiu que este a trouxesse e voltou a dormitar. O menino esperou alguns minutos e, ao ver que a mãe dormira de novo, solicitou e conseguiu outra dose.

Radiante, recomeçou a mexer aquele pauzinho no champanhe. E me piscava os lindos olhos em cumplicidade total. Depois, sorria e bebia. Comecei também a piscar os olhos, divertida com a cena. Não sei quantas taças o Milketto (o mesmo nome do pai, no diminutivo) tomou. Calculei apenas que o champanhe seria leve. Ao descer em

Genebra, ele caminhava normalmente, sem titubear; sorria feliz por ter conseguido driblar a mãe. E que mãe! Quando tirou os óculos escuros, o lenço dos cabelos negros, descobri que era Gina Lollobrigida! Ela que no esplendor dos vinte anos simbolizara a exuberância da mulher italiana, ali era apenas a mãe de um garoto alegre e travesso.

E atenção, senhores passageiros: desapertem os cintos porque agora segue uma sugestão que poderia ser oferecida a bordo — se as empresas aéreas não apostassem na mesmice dos caterings.

Vol-au-Vent con Fettuccine Verdi e Rose di Prosciutto

Receita do Hotel Ambasciatori di Roma

6 vols-au-vent de massa folhada
200 g de fettuccine verdes
1/2 kg de ervilhas
2 colheres de salsa picada
200 g de creme de leite
300 g de presunto cru
sal
manteiga
pimenta-do-reino
gema de ovo para pincelar

Cozinhe as ervilhas em pouquíssima água, acrescentando 1 colher de manteiga e 50 g do presunto cortado finíssimo. Quando cozidas, acrescente 200 g de creme de leite, uma pitada de sal, a salsa picada e reserve. Corte as fettuccine em pedaços pequenos, cozinhe ao dente, condimente com manteiga abundante e as ervilhas e o seu molho. Encha os vols-au-vent com as fettuc-

cine preparadas no molho, pincele a massa com gema de ovo e ponha os vols-au-vents no forno por 7 minutos. Retire, acomode numa travessa, enfeite cada um com rosas de presunto cru. As rosas são obtidas envolvendo-se tiras de presunto (de cerca de 3 cm) ao redor do dedo e dando-lhe uma forma mais ou menos aberta.

NA COZINHA COM CHRISTIAN DIOR

Christian Dior, gênio da *haute couture* francesa, foi, sem querer, o único culpado de ter dado à minha vida de moça o golpe responsável por uma reviravolta total.

O New Look criado por ele pode parecer agora, visto de longe, um movimento qualquer na história da moda. Mas foi bem além. Não se tratava apenas de encompridar saias, deixar a cintura apertada, desenhar vestidos rodados ou dar à mulher do pós-guerra um aspecto mais feminino, com todos os atributos que derivavam disso. Era muito mais abrangente. Envolvia o gosto pelos tecidos, a escolha das padronagens, das sedas e algodões; as diretrizes do que pode ou não ser usado. De fato, nada mais poderia ser feito. Em relação às padronagens, houve uma revolução plena. O único sobrevivente, admitido em todas as cores e medidas, foi o *pois*, ou seja, as bolinhas. Esta bomba de estilo explodiu quando os industriais da seda já tinham suas coleções preparadas. Todos pagaram por aquilo que podia ser classificado como capricho. Uma escolha que durou alguns anos, e todos, obedientes, se submeteram a entrar no jogo.

Eu estava no começo de uma carreira que prometia ser brilhante em virtude do sucesso de meus desenhos. Vi, de repente, como a moça do conto de Perrault, minha ricota esfarelar-se no chão. Ficaram só as lembranças de possibilidades perdidas. Que podia fazer uma jovem cujo capital era só a rica fantasia da criação, ao saber que precisavam exatamente do contrário a qualquer criatividade agora? Entrar na chatice da uniformidade?

Escapuli. Deixei a Europa com as suas surpresas e fui descobrir o meu Novo Mundo, a América do Sul. Rotulado erroneamente de Terceiro. Bom, se para mim Dior é sinônimo de derrotas ultrapassadas, revelo agora uma de suas facetas pouco conhecidas: o Christian Dior gourmet e gourmand que coadjuvava o *chef de cuisine* na elaboração de menus diferentes e elegantes em sua requintada mesa freqüentada por convidados seletos. Ele usava e abusava da simplicidade, da economia de ingredientes. Com poucos elementos surgiam pratos que, antes comuns, viravam surpresas impensáveis. Eis aqui duas de suas receitas.

Ovos Orsini

Separe 6 gemas. Bata as claras em neve bem firme. Misture, com leveza, 60 g de queijo parmesão ralado fino. Ponha a metade das claras batidas num pirex untado com manteiga. Deixe no forno quente por 6 minutos. Distribua as gemas inteiras sobre as claras do pirex. Por cima delas, uma pitada de sal, pimenta e manteiga. Cubra com o restante das claras. Como opção, salpique um pouco de gengibre fresco ralado. Leve ao forno quente, até as claras ficarem levemente douradas. Sirva sem demora.

Dessert Pompadour

Numa panelinha, derreta (com 2 dedos de água) 250 g de chocolate. Deixe esfriar. Junte 200 g de açúcar e 250 g de manteiga, mexendo com colher de pau. Quando estiver cremoso, acrescente 4 ovos (um por vez), mexendo sempre. Por fim, 1 colher de farinha de trigo. Despeje na fôrma de bolo untada com manteiga. Leve ao forno médio em banho-maria. Deixe 45 minutos. Abra o forno e só retire frio. Sirva depois de um dia, despejando por cima um creme inglês não muito espesso.

PÊSSEGOS MUSICAIS

Quem não gostaria de ter vivido os primeiros anos deste século? Infelizmente a Primeira Guerra trouxe desastres e perturbações, mas vamos nos deter no período de 1890 a 1910, quando aconteciam coisas extasiantes. Os heróis e heroínas das crônicas da época eram em geral príncipes russos, grão-duques, artistas plásticos, literatos extravagantes ou atrizes misteriosas. E as vedetes diárias dos jornais? Resposta: cantoras de ópera ou bailarinas que mesclavam vidas trágicas com espetáculos de luxo absurdo. Ouviram falar de Sarah Bernhardt? Ela dormia num ataúde. Algumas das garotas notáveis foram amantes de nobres notívagos e entediados. Recebiam, como argumento paliativo para o frio, enormes colares de safiras, além de rubis *gentilmente cedidos* por príncipes milionários. Mantôs em pele de marta ou de chinchila protegiam belas *cocottes* das correntes de ar frio. Restaurantes como o Maxim's serviam sempre de cenário a tamanhas generosidades.

Nelly Melba foi uma soprano australiana que teve a sorte de educar a voz — especialíssima — em Paris. Em sua homenagem, um ornitólogo batizou certo pássaro africano com o nome dela. Melba mostrou em cena alguns dos mais estonteantes personagens femininos: Lucia de Lammermoor, Mimi, Violetta, Marguerite. Mulheres marcadas por dramas de existências infelizes.

Melba ditava formas de moda pessoal. Viveu, coitada, no período em que os espartilhos a deixavam sem fôlego. Mas como conseguiu cantar com a voz tão contida? Apesar de atravessar incólume a fase das tais armaduras ocultas sob as roupas (sua morte aconteceu em 1931), teve a sorte de ser contemporânea da libertação dos corpos femininos — imposta pelo gênio de Poiret e continuada pela mágica de Chanel.

Certa noite, meados dos anos 20 em Paris, o magnânimo *chef de cuisine* Escoffier inventou uma sobremesa em sua homenagem. Clássico imediato da culinária. Na première, foi servida em baixela de prata lavrada, com copos de cristal. Na falta de décor equivalente, cerre as pestanas e imagine estar no Maxim's ouvindo Nelly Melba solfejar doces árias de Puccini.

Pesche alla Melba

pêssegos macios

açúcar

água

um pedaço de baunilha

framboesas (ou morangos)

sorvete de creme

Mergulhe os pêssegos em água fervendo, para que as peles saiam. Descasque-os. Com o açúcar, a água e o pedaço de baunilha, faça uma calda pouco espessa (incline a panela perto da chama). Cozinhe os pêssegos por 20 minutos na calda. Deixe esfriar na própria calda. Num recipiente (de cristal ou prata seria perfeito), deposite camadas de sorvete, com os pêssegos inteiros por cima. Cubra tudo com as framboesas esmagadas.

Peras com Chocolate

Descasque 6 peras não maduras demais, deixando os cabinhos. Numa panela, cubra-as, até a altura dos cabinhos, com vinho tinto, adicionando 2 colheres de açúcar, 2 cravos, um pedacinho de pau de canela, uma ponta de colher (café) de sal e um pedaço de casca de limão (sem a parte branca). Leve ao fogo forte, até que fiquem cozidas e impregnadas de vinho. O resultado deve ser uma linda cor bordô. Deixe esfriar. Ponha num recipiente de cristal e reserve. Para a cobertura, dissolva à parte (em banho-maria) algumas barras de chocolate com uma ponta de manteiga e poucas gotas de leite. Não dissolva completamente, para que se veja um pouco da polpa das peras no tom de vinho. Cubra as peras com com suspiros — comprados em qualquer padaria — e derrame esse líquido por cima. Sirva-as acompanhadas de creme de leite fresco sem bater. Ao esfriar, o chocolate deve formar uma casquinha crocante sobre as peras e os suspiros.

Maçãs ao Forno com Massa Folhada

6 maçãs

6 cravos

20 g de uvas passas sem sementes

4 colheres de geléia de damasco

um pedaço de casca de limão

1 colher de farinha de rosca

20 g de manteiga

açúcar cristal

açúcar de confeiteiro

Massa folhada:

4 xícaras de farinha de trigo

200 g de manteiga gelada (em pedaços)

1 colher (chá) de sal

1 xícara de água gelada

Com ajuda da lâmina de uma faca, amasse por pouco tempo a farinha de trigo, o sal, a água e a manteiga gelada. Vá beliscando com os dedos. Abra com rolo a massa na espessura de 4 mm. Não deixe descansar na geladeira. Corte quadrados de tamanho suficiente para cobrir uma maçã (aproximadamente 12 cm). Retire o menos possível da polpa das maçãs, para que fiquem quase inteiras. Apóie as maçãs no centro de cada quadrado de massa, encha o buraco central com um pouco de geléia, um cravo, algumas uvas passas, pitadas de açúcar e pedacinhos de casca de limão. Salpique com farinha de rosca e açúcar cristal, colocando na parte de cima 1 colher (café) de manteiga. Aperte, no topo da maçã, os quatro ângulos da massa, para que fechem. Leve ao forno médio e deixe até que (perfure com um garfo) a maçã e a massa cozinhem. Retire e peneire por cima um pouco de açúcar de confeiteiro.

TAGLIATELLE COM IOGURTE

2 copinhos de iogurte
4 colheres de mel
massa folhada (receita acima)
fôrma para bolo média, redonda

Para as tagliatelle
100 g de farinha de trigo
1 ovo
sal
1 colher de açúcar
água (o mínimo e só se for necessário)

Para o creme
100 g de manteiga
100 g de achocolatado
2 colheres (chá) de fermento em pó

1/4 de litro de leite morno

casca ralada de 1/2 limão

200 g de amêndoas peladas e moídas

2 copinhos de cherry brandy

açúcar de confeiteiro

200 g de queijo-de-minas consistente

Prepare a massa folhada simples com espessura de 8 mm. Forre a base e as bordas de uma fôrma para bolo e reserve. Prepare uma massa doce para as tagliatelle com a farinha de trigo, ovo, sal e açúcar. Amasse. Corte as tagliatelle em fitas sutis e deixe secar. Faça um creme com o achocolatado peneirado, a manteiga, o fermento, o leite morno, a casca de limão e as amêndoas peladas. Despeje esse creme no fundo da fôrma e coloque as tagliatelle por cima. Polvilhe com açúcar de confeiteiro e um tanto do queijo-de-minas ralado grosso. Leve ao forno preaquecido e deixe por volta de 40 minutos. Permaneça atento, pois o bolo deve ficar claro sem dourar (se necessário, cubra com papel-alumínio). Ao retirar do forno, adicione dois copinhos de cherry brandy. Deixe descansar no mínimo por 4 horas. Sirva acompanhado dos iogurtes misturados ao mel, esparramados a gosto.

O FARO FINO DE TOULOUSE-LAUTREC

Ao ver Toulouse-Lautrec tão pequenino, ninguém diria que aquele diminuto corpo disforme encerrasse apetites sexuais incomuns. E violentos. O mesmo prazer sentia pelas bebidas e comidas.

No seu tempo, sentar-se à mesa de café, diante de um grande vaso de absinto, e perder-se nos vapores dessa bebida cruel era o mais comum dos hábitos, sobretudo entre os intelectuais. Quem não era viciado, já a teria experimentado, por certo. Foi um gosto, uma moda, uma época. Na falta da pior, Toulouse-Lautrec conformava-se com outras bebidas. O porto foi uma de suas alternativas favoritas. Sentado ao café, extraía do bolso um pequeno ralador, uma noz-moscada e ocupava-se em aromatizar seu vinho. Ele, gourmet e gourmand, vinha de família em que a comida ganhara lugar de honra e prestígio. Se como pintor o pequeno Henri dosava suas obras com equilíbrio e severidade crítica, dando a cada pincelada um valor absoluto, o mesmo se passava quando se encontrava ao fogão. Um grão de sal, pimenta ou outra especiaria não podiam faltar, nem sobrar.

Em família chamavam-no Henri *Le Cuisinier*. Seu estômago era lendário. Geralmente escolhia comidas caras e luxuosas: lagosta, faisão e outras caças, foie gras, caviar e qualquer fruta ou verdura fora de época. Conhecia todos os restaurantes de Paris com as especialidades que os distinguiam. Admitia só azeite de oliva. Os vinhos deveriam ser preciosos, além de indicados para determinado prato, não para outro. Tudo virava um ritual a que por nada ele queria se subtrair. Assim, a lagosta, por exemplo, deveria ser cortada — ainda viva — em pedaços. Ele seguia tais regras tranqüilamente, sem se incomodar com nada. Como eu não tenho estômago para esquartejar uma lagosta viva, trago uma receita de carne inventada por este pintor *cordon bleu*.

Steak à Lautrec

O ideal é uma fogueira de gravetos, mas, na falta, pode-se utilizar uma grelha — apesar de se perder um pouco do encanto. Para cada pessoa são necessários três steaks. Põem-se os três, um sobre o outro, temperados com muita pimenta e mostarda. Ao retirar do fogo, passe sal moderadamente e coma só o bife do meio, que estará magnífico. No ponto.

DE CHIRICO, O CAFFÉ IL GRECO E EU

Quem viaja, tem tempo limitado. Comigo acontece sempre. Deixo para trás lugares importantes, não visito pessoas queridas, pulo galerias com exposições que nunca mais vou ver, cancelo compras que desejei tanto ou não consigo experimentar o menu especial daquele restaurante típico. Nem adianta pensar nas feiras de rua. Acontecem uma vez por semana, em horas indefinidas.

Os que escolhem viajar por agências de turismo vêem o essencial. Mas perdem as pequenas oportunidades, que são o sal e a pimenta de se lançar por conta própria, entre erros e acertos. Portanto, faço um pedido: em Roma, não deixem de conhecer o Caffé Il Greco. Desde que surgiu, no último quarto do século XVIII, o Il Greco é visitado por artistas, literatos e personalidades que passam pela cidade. Localiza-se na via Condotti, uma das ruas mais antigas e por certo a mais elegante de Roma. Permite vista para as escadarias da piazza di Spagna e a igreja de Trinita dei Monti. Fica em frente à joalheria Bulgari, com vitrines que parecem estojos de jóias.

O café, restaurado há poucos anos, manteve decoração do século passado, em mesas de ferro e mármore branco ou madeira maciça. Paredes cobertas por quadros, desenhos e gravuras de época ajudam a contar a trajetória do Il Greco e da própria arte. Grande parte veio de doações de artistas que por lá passaram, nesses quase dois séculos e meio. Há também esculturas e uma coleção de retratos em miniatura de autoria do antigo dono do café, o último grande artista do gênero. Eu o conheci depois da Segunda Guerra, graças a uma foto estragada pela umidade.

Isso aconteceu pouco antes de ele morrer. Já idoso, usava barba com bico duplo. A miniatura confirmava uma técnica de registrar pessoas quando ainda não existiam fotos. Pintava-se com têmpera sobre lâmina de marfim, no estilo mais tarde conhecido como pontilhismo. Trabalhava-se com minúsculos pincéis de pêlo de marta e uma lupa.

Ainda hoje grupos de artistas — sempre os mesmos — reúnem-se no Caffé Il Greco para debater temas antagônicos. Gente de cinema, de teatro, personalidades nacionais e forasteiras dividem a mesma área com senhoras esbaforidas que descansam das compras em lojas vizinhas. Até um dia antes de sua morte, o grande De Chirico passava horas no Il Greco, sentado no mesmo sofá, com amigos e fãs. Seu lugar, ainda hoje mantido reservado à sua espera, era defendido ferrenhamente pelos garçons. Depois da morte dele, o posto é disputado por quem conhece a história. Sento-me lá todas as vezes que posso. Quero absorver as vibrações que o mestre, mesmo sem querer, espalhou ali.

Pedir o que no Il Greco? O imperdível café *ristretto*, um cappuccino especial com chocolate, sorvetes, granitas, aperitivos, massinhas doces, sanduíches? Importante reparar no desenho antigo das xícaras e dos pires, em branco e laranja. A louça pode ser comprada como lembrança. Vamos fingir que Roma fica na esquina e experimentar esta receita tradicional do local. Mais simples, impossível.

Granita de Café com Panna

Coe um café muito forte e adoce bastante. Ponha no freezer, em fôrma sem divisões de cubos. Deixe gelar quase completamente e retire com a ajuda de um garfo. Quebre o café, que deverá estar meio cristalizado. Arrume em taças, dosando com medidor de uísque. Por cima de cada porção jogue colheres de creme de leite bem batido e adoçado. Enfeite com casquinhas de limão ou folhas de hortelã. Acompanhe, à parte, com línguas-de-gato ou suspiros.

Tagliatelle ao Café

De dona Lalla, do La Bettola, em São Paulo

Prepare uma massa caseira, adicionando 200 g de pó de café (moído finíssimo) para cada quilo de farinha de trigo a ser usada. De resto, siga a receita original. As tagliatelle devem ter 1 cm de largura. Podem ser misturadas a tagliatelle brancas comuns, na proporção de 3/4 ao café e 1/4 brancas. Depois de cozidas (em panelas separadas), cubra-as com bastante parmesão ralado, manteiga dissolvida e uma pitada de canela em pó. Ou, se preferir, com creme de leite, manteiga e parmesão ralado.

CHAFARIZ DE TOMATE

Clássico, simples, primário e saboroso, o molho de tomate é a base das mais antigas receitas de Nápoles. Vem de lá a compulsiva atração pela massa coberta por molho vermelho. Para um habitante da região Centro-Sul da Itália, sentar-se à mesa e não comer pelo menos um macarrão seria quase como fazer jejum. No início deste século, Vermicelli com Molho de Tomate era um prato comum nas ruas napolitanas. Equivaleria atualmente às barracas de cachorro-quente de São Paulo. Não por questões de gosto: o poder aquisitivo decidia o paladar, pois os italianos ainda não eram os novos-ricos europeus de agora. Sendo assim, os *vermicelli* oferecidos nas ruas, baratos e ricos em calorias, satisfaziam o bolso e o estômago das pessoas simples. Sem contar que as vielas napolitanas brilhavam mais com esta tradição local.

Quando criança, me descreveram como eram aquelas bancas com seus vendedores no início do século. Imaginem-me escutando isso. Logo eu, criada em ambiente burguês, educada com inalteráveis regras de etiqueta, em que os talheres deveriam ser manuseados nos pontos certos, feito espadas. Talheres empunhados de maneira incorreta seria um ato inconcebível. Bom, escutei que as pessoas, ao comprarem *i vermicelli*, comiam às vezes no prato, mas sempre sem garfo! Como?

Eis a técnica: com o braço levantado, a mão segurava a pasta, a cabeça era jogada para trás com incrível rapidez e deixava-se o macarrão entrar pela boca do mesmo modo que se derrama água de uma garrafa num copo. Surpresa, admiração, espanto. Foram as sensações — vivas até hoje — experimentadas diante daquelas descrições.

Anos mais tarde, essas imagens seriam complementadas por um amigo napolitano, diplomata em Buenos Aires. Amante da cozinha, durante uma sessão doméstica de pizza, ele começou a recapitular detalhes com que os antigos vendedores de Nápoles preparavam o molho do macarrão. Preparem-se. Eles tomavam nas mãos tomates bastante amadurecidos e, em segundos, esmagavam-nos com a pressão de suas palmas. Passavam então à condimentação do molho. Quando os fregueses chegavam, os vendedores jogavam sobre o macarrão o molho já pronto. Da seguinte forma: enchendo a boca com o molho vermelho e, com toda a seriedade do mundo, borrifando igual chafarizes o tomate sobre a pasta. Tudo com ritmo, sabedoria e habilidade.

Nunca esqueci esses relatos, que não eram fantasiosos ou inventados. Contudo, o deslizar das páginas do calendário ajudou um pouco a mudar os costumes e a melhorar as regras de higiene. *Salute!* E viva o *pomodoro*.

Vermicelli ao Molho de Tomate com Manjericão

500 g de vermicelli

1 kg de tomates bem maduros

150 g de extrato de tomate

1 dente de alho

250 g de manteiga

3 grãos esmagados de pimenta-do-reino

2 colheres (chá) de açúcar

azeite

sal

1 1/2 maço de manjericão (só as folhas)

parmesão ralado

Ponha os tomates por 1 minuto em água fervente para retirar a pele. Corte-os em pedaços e ferva-os por 10 minutos em fogo alto, junto ao açúcar, o alho fatiado e os grãos de pimenta. Não adicione água. Em seguida, passe esse molho no liquidificador, até virar um creme vermelho. Leve de volta à panela, agregando o extrato de tomate, 1 colher de sal, as folhas de manjericão e a manteiga. Deixe em fogo médio por cerca de 5 minutos. Prepare os vermicelli ao dente, escorra-os e adicione 2 colheres de azeite. Imediatamente tempere-os com o molho e sirva com parmesão abundantíssimo.

Molho Básico de Tomate com Cebolas Inteiras

Ponha na panela 1 kg (ou mais) de tomates maduros, com pele e sementes, cortados em pedaços grandes. Para cada quilo de tomate, serão necessárias 8 cebolas pequenas cortadas pela metade, algumas folhas de manjericão e 1/2 copo de óleo de milho. Deixe no fogo por aproximadamente 15 minutos (até que a cebola fique quase cozida porém durinha). Deixe reduzir até ficar espesso. Ponha sal a gosto e 1 colher (sobremesa) de açúcar, para tirar a acidez. Quando tudo estiver cozido, retire as cebolas, desfolhe-as e reserve. Passe o molho de tomate no liquidificador, sem as folhas de manjericão, e acrescente de volta as cebolas já desfolhadas.

GULA FRANCISCANA

Se são Francisco é o santo dos pobres, a ordem franciscana faz milagres para conseguir manter-se apenas com as esmolas dos fiéis. Em respeito a essa sabedoria e às limitações dos franciscanos, inventei uma receita que envolve remotas lembranças da topografia romana. Vamos então voltar o filme do passado.

As águas do Tevere, rio que divide Roma em duas partes, têm uma coloração amarela. Por isso os romanos o chamam carinhosamente de *Il Biondo*, "o Loiro". Em seu trajeto que serpenteia pela cidade, as margens são ornadas por fileiras de plátanos que deram nome a vários locais, inspiraram canções e encobriram amantes ou delitos. Nas margens, os bairros desenvolveram-se em épocas diferentes, apresentando dinâmicas e características próprias. Trastevere, que significa "Além do Tevere", é um setor medieval onde se respira uma atmosfera imutável há séculos. Uma ilha minúscula no meio do rio, chamada Tibertina, funciona como o coração e ponto de referência da área. Ali se podem ver alguns vestígios históricos como a Cloaca Massima, os templos de Vesta e da Fortuna Virile, ou os restos de uma ponte construída pelos antigos romanos.

Os rastros do tempo deixaram marcas, mas não modificaram nada naquele pedacinho do mundo. Cruzando o rio existe ainda a ponte Cestio Fabrizio, a mais antiga de Roma, datada de 62 a. C. e conhecida como ponte Quattro Capi, "Quatro Cabeças", por causa das estátuas de Giano Quadrifonte. Essa ponte corta a ilha Tiberina para desembocar na continuação do Trastevere.

Fica bem ali, na frente dessa ponte, mais exatamente no número 12 da Lungotevere degli Anguillara, a casa em que passei a minha infância. Recém-construída, era clara e moderna. O zelador chamava-se sor Giggi, tinha bigodes e cheirava a vinho. A casa, com três andares, era considerada alta na época. Apresentava ainda uma bela escada e uma fonte com réplica da célebre estátua *L'enfant qui pisse*, de Bruxelas. Das janelas, avistava-se o rio, os monumentos, a sinagoga. A cidade revelava-se em sua arquitetura que mistura construções romanas, medievais, barrocas e românticas, ou mesmo por meio de prédios em estilo mussoliniano.

Mas é em Tiberina que vou me deter. Sua história começa no tempo do rei Tarquínio, o Soberbo. Dizem que a ilhota surgiu quando a população enfurecida despejou no rio um carregamento de trigo. Houve lá também um templo dedicado a Esculápio, o deus da cura. Foi sobre as ruínas desse templo que ergueram mais tarde a igreja atual, linda e barroca. Durante a Idade Média existia uma hospedaria para peregrinos, transformada séculos depois no hospital que se mantém até hoje. Fora isso, há uma farmácia magnífica de 1600 e o convento, com grandes janelas que só permaneciam abertas durante o verão, permitindo vasculhar um pouco da vida secreta dos frades.

Supõe-se que a vida monástica seja de renúncia, desapego ao supérfluo e ao luxo. Supõe-se, ainda, que o culto à pobreza exija apenas o indispensável para viver. Recordo-me das pessoas que olhavam o convento protegidas pelo muro que o separa do rio. Por estarem em nível mais elevado, sua vista era ampla. Frades, geralmente gordos, caminhavam entretidos em seus afazeres. Durante as refeições, viam-se detalhes de uma compridíssima mesa, com frades servindo outros frades. Enormes travessas passavam sustentadas no alto pelos braços dos mais novos, que corriam, apressados. Aquelas travessas continham Spaghetti ao Tomate, montanhas de Spaghetti al Pomodoro! Tudo para aplacar a fome dos muitos frades do convento. Eu presenciava a cena de longe, sem sentir o aroma dos pratos. Como seria o molho? Por certo suculento e saboroso, imaginava, observando a cor viva dos tomates.

A receita que inventei com base nessas visões inspira-se no estilo rústico da vida dos franciscanos. O único ingrediente caro seriam as alcaparras. Mas os franciscanos devem saber que na Sicília e em Roma, bem como nos muros que cercam os jardins do Pincio, as alcaparras nascem espontaneamente. Cheguei a ver muitas pessoas se pendurando para catar as preciosas bolinhas. Quem me garante que são Francisco não apreciava alcaparras silvestres?

Maccheroni alla Poverella

500 g de penne

1 xícara grande de alcaparras

7 filés de anchova

2 maços pequenos de escarola

1 dente de alho

1/2 cebola

1/2 copo de azeite

pimenta-do-reino

sal

queijo pecorino ralado

Cozinhe as escarolas em panela destampada, em fogo alto. Utilize 2 dedos de água. Retire-as pouco cozidas e passe-as rapidamente em água fria (para se conservarem verdes). Corte em pedaços médios. Reserve. Na mesma panela, frite no azeite pedido a metade de cebola sem picar e o dente de alho, acrescentando 4 minutos depois as anchovas trituradas. Refogue por mais 2 minutos, retire a cebola e o alho. Agregue a escarola. Prove e corrija o sal. Prepare as penne ao dente, escorra-as e junte o azeite da fritura, a escarola, as alcaparras, a pimenta-do-reino moída na hora e o pecorino ralado.

Bucatini com Alcaparras

500 g de bucatini

1 filé pequeno de peixe sem espinhas

4 colheres de alcaparras

2 anchovas

azeite

miolo de 2 fatias grandes de pão italiano

2 colheres de farinha de rosca

1 cebola média ralada

1/2 caixinha de extrato de tomate

4 tomates bem maduros (sem pele)

sal

No forno, torre a farinha de rosca e o miolo de pão. Triture. Frite a cebola no azeite, junto aos tomates cortados em cubos. Deixe cozinhar bem por 8 minutos. Acrescente o extrato de tomate e misture. Em outra panela, frite as anchovas com muito azeite, esmagando-as. Junte o filé de peixe por 3 minutos e triture-o com um garfo. Prove e corrija o sal. Cozinhe o bucatini ao dente e escorra. Despeje sobre a massa um pouco de azeite e acrescente o molho dos peixes. Coloque a farinha de rosca e o miolo de pão. Misture. Adicione por último o molho de tomate e as alcaparras.

Fettuccine Giovanni Lenti

1/2 kg de fettuccine finas verdes (massa fresca)

1/2 kg de fettuccine finas brancas (massa fresca)

1 copo grande de alcaparras

100 g de manteiga
4 laranjas (o suco)
1/4 de litro de creme de leite
15 folhas de hortelã
parmesão ralado
sal

Cozinhe as massas. Junte a manteiga e o suco das laranjas misturado ao creme de leite. Prove o sal e corrija. Sirva enfeitando com as folhas de hortelã, as alcaparras inteiras e parmesão ralado.

O PIOR MACARRÃO DO MUNDO

Mauretta era uma moça magra, de compleição frágil, pele cor de oliva, fisionomia mais que bonita, maçãs do rosto salientes, e olhos negros, enormes e sonhadores. Os compridos cabelos lisos cobriam-lhe parte das costas. Tinha altivez de rainha. Mauretta adorava poesia; passava as horas de folga na cama entre livros de poemas, sobretudo dos românticos alemães e ingleses. Trabalhava também como voluntária no Exército da Salvação. Amava tanto a filosofia e os programas dessa entidade que atravessava domingos inteiros envolvida em atividades beneficentes. Decididamente, uma mulher de classe. Com tantas qualificações, Mauretta foi nossa ajudante por mais de um ano.

Enquanto esteve conosco, cumpria as tarefas da casa normalmente, mas duvido que gostasse. Cozinhava — na verdade, brigava todos os dias com a nossa infalível massa. Lamento confessar que seu spaghetti foi o pior que provei. Um ano de aprendizado na cozinha não lhe serviu para nada: essa refinada amante da poesia movia-se entre as panelas sem o menor interesse, sem curiosidade pela comida, como se estivesse cumprindo uma jornada totalmente supérflua. Não exagero ao afirmar isso. A massa vinha grudada, sem sal, salgada demais, supercozida, crua, ou até (que proeza!) crua e cozida demais ao mesmo tempo. Mauretta tinha a habilidade de tornar qualquer comida intragável.

Mas ela era linda, meiga, atenciosa, encantadora. Aldo Federico, este incansável comedor de macarrão, olhava Mauretta e aceitava tudo sem pestanejar. Não reclamava, nem criticava. Creio que mal percebia o sabor. Tratava-se de certa paixão hipnotizadora e secreta, sublimada pela massa. Provavelmente Mauretta desconhecia como seu macarrão era horrível e assim não imaginava a grande prova de amor que Aldo lhe dava ao engoli-lo.

Certa ocasião saímos de Montevidéu para passar um mês em Buenos Aires. Mauretta nos acompanhou, ultrapassando pela primeira vez as fronteiras uruguaias. A capital argentina provocou-lhe a mesma atração que a poesia. Ela enlouqueceu. Comprou tudo o que podia, fantasiando-se com as roupas da moda. Apagou sua classe e sua beleza sem piedade. Mas parecia feliz.

Passou-se algum tempo, e Mauretta se foi. Só mais tarde descobrimos que ela era cigana, embora raras vezes visitasse sua gente. Se mantinha alguns hábitos das restritas regras daquela casta fechada, nunca soubemos. Mas suponho que no limite do possível ela gostava de fugir a elas. Descobrimos também que havia se casado ainda menina com um homem mais velho (cigano, talvez), tendo filhos já crescidos. Onde estará Mauretta agora? Por onde passeará a sua dignidade, a sua beleza?

Ela deixou pelo menos uma lembrança original: o macarrão sem gosto, salgado, cru e cozido demais, reduzido a uma papa disforme. O macarrão dos amores secretos. O pior macarrão do mundo! Claro que não é essa a receita que segue.

Rigatoni com Creme de Brócolis e Gengibre

500 g de rigatoni

1 maço de brócolis (só as flores)

1/4 de litro de creme de leite

70 g de manteiga

parmesão ralado

um pedacinho de gengibre

1/2 copo de leite

azeite de alho frito

sal

Cozinhe os brócolis no vapor. Depois, em fogo alto, passe-os para outra panela com bastante manteiga e um tanto de azeite onde se fritou alho. Deixe até que percam a água. Bata os brócolis no liquidificador com o gengibre, metade do creme de leite e o leite. Tempere com sal. Cozinhe a massa bem ao dente, acondicione-a em pirex e condimente com o creme dos brócolis liquidificados, mais o restante do creme de leite. Polvilhe queijo parmesão ralado e leve ao forno por poucos minutos. Cuidado para não deixar ressecar.

Bucatini com Broccoletti, Aglio e Acciughe

500 g de bucatini
1 maço de brócolis
6 anchovas fatiadas
6 dentes de alho
azeite
sal
parmesão ralado

Cozinhe no vapor as flores dos brócolis, que devem ter 3 cm de talo. Importante que permaneçam verdes e pouco cozidas. Refogue-as depois em frigideira, com os dentes de alho inteiros, azeite, sal e as anchovas. Corte os bucatini em 3 partes, cozinhe-os, escorra-os e junte mais um pouco de óleo, parmesão ralado e os brócolis. Sirva.

Penne com Broccoli

400 g de penne
200 g de brócolis

100 g de chicória

2 dentes de alho

1/2 copo de azeite

1 pimenta dedo-de-moça

pimenta-do-reino

sal

queijo pecorino ralado

queijo parmesão ralado

Prepare os brócolis e a chicória no vapor, cortados em pedaços de 3 cm. Ponha no fogo uma frigideira com o azeite. Quando estiver bem quente, doure levemente os dentes de alho triturados. Adicione o sal, a pimenta fatiada, os brócolis e a chicória cortados. Frite por 5 minutos. Cozinhe as penne ao dente, junte-as às verduras e a muito queijo pecorino e parmesão ralados. Se o prato parecer seco, acrescente algumas colheres de água do cozimento e um pouquinho de azeite.

Penne com Broccoli Stufati

1 maço de brócolis (cerca de 700 g)

500 g de penne

1/4 de litro de creme de leite

1 dente de alho

1 pimenta dedo-de-moça (sem sementes)

azeite

parmesão ralado

sal

Cozinhe talos curtos de brócolis no vapor. Frite-os no azeite com a pimenta cortada em duas, sal e o alho fatiado. Acrescente as penne cozidas bem ao dente. Junte o creme de leite e acenda o fogo alto para que o líquido seja reduzido à metade. Acrescente muito parmesão ralado. Siga cozinhando com a panela tampada até que pareça cremoso. Sirva fumegante.

KHARAMA MAXA DA NIET NAXA!

"Kharama Maxa da niet naxa", ou seja, "Linda é Mariazinha, mas não é nossa". Escrito em caracteres cirílicos, esse velho ditado russo é patrimônio da sabedoria popular. A Segunda Guerra Mundial havia acabado e a Conferência de Yalta levava a humanidade a acreditar em dias melhores. Saíamos do terror e pressentíamos outro terror próximo. Os ex-Aliados, que viraram inimigos e mais tarde amigos novamente, conseguiram demonstrar a fragilidade dos pactos e das alianças. Os russos e Stalin significavam mistério, dúvida, incógnitas. Que conhecíamos deles? A Revolução Soviética de três décadas antes só fora apresentada por meio de propagandas da direita ou da esquerda, cada uma exaltando ou destruindo os valores do movimento.

Senti que a melhor forma de me defender seria conhecer o idioma desses possíveis futuros inimigos. Quis estudar russo. Se foi quase impossível encontrar um professor, empreitada maior foi achar um dicionário. A guerra mal havia terminado, tudo continuava difícil e escasso. Sem levar em conta que durante o regime fascista o idioma russo estivera banido do mapa. As velhas editoras atravessavam dificuldades, enquanto as novas lutavam para sobreviver. Quem teria interesse naquilo que eu procurava? Recorri aos sebos e, com sorte, consegui um dicionário russo-italiano, em elegante edição de 1914. Era lindo, com capa dura ornamentada com decadentes padrões art nouveau. Só tinha um pequeno defeito, que meu otimismo quis subestimar: era antigo demais, conservando no alfabeto as quatro letras suprimidas pelos revolucionários em 1917. Isso complicava ainda mais a tarefa de ler e escrever em cirílico. Sem me importar, segui em frente. O texto, como em qualquer lição inicial de um idioma, transcrevia frases primárias e infantis. Entre elas, o ditado que citei acima.

Esse mesmo ditado demonstraria depois ser de grande utilidade em minha vida. Passado o entusiasmo dos primeiros meses, abandonei o professor e o dicionário russos. Esqueci tudo o que havia aprendido, com exceção dos harmoniosos fonemas do tal provérbio. Transcorreram os anos. Em um *party* noturno em Roma, à base de música e macarrão, conheci um jovem recém-chegado de longa temporada na Rússia. Ele tocava músicas tristes na guitarra e convidou-me para dançar. Decidi que soltaria, pela primeira vez, a tal frase em russo: "Kharama Maxa da niet naxa". Para tanto, bastaria olhar profundamente nos olhos dele, modulando a voz de forma que sugerisse qualquer coisa. Calculei que seria tiro e queda. Quem escutou, compreendeu o que quis compreender. Quem falou, sugeriu conhecer russo o bastante. No meu caso, recebi compreensão e sensibilidade.

Muitos anos depois, citei a mesma frase a um personagem mais célebre: Rudolf Nureiev, que se apresentava com Margot Fonteyn no Teatro Colón de Buenos Aires. Assim que ficamos nos conhecendo, conversei com ele (em inglês) sobre a tristeza da alma russa. De repente, no momento certo, chutei a minha famosa frase. Como sempre, o efeito foi fulminante. E, para mim, sumamente divertido. Fomos jantar em seguida, e o macarrão era preparado com vodca!

Ninhos com Vodca

500 g de ninhos de talharim
250 g de manteiga
1 copo de creme de leite
2 conchas de tomates em cubos
1 lingüiça calabresa grande
1 copo médio de vodca

sal

parmesão ralado

pimenta-do-reino

Fatie a calabresa e triture-a bem com um garfo. Frite por 5 minutos, com o mínimo de água, apenas para molhar a frigideira. Junte os tomates e a metade da vodca. Deixe por 5 minutos. Retire do fogo, junte ao creme de leite. Cozinhe os ninhos ao dente em água com sal e o restante da vodca. Escorra-os e condimente com a manteiga e o parmesão ralado. Sirva com pimenta-do-reino moída na hora.

TRAVESSURAS MONEGASCAS

Quem acompanha pelos jornais as crônicas mundanas das elites européias e dos nobres que sobrevivem na praça, está acostumado a esbarrar (pelo menos desde a chegada de Grace Kelly ali nos anos 50) com fotos e notícias do principado de Mônaco. Observando-se, por exemplo, as fotos do outrora imponente príncipe Rainier, nota-se por trás daquele semblante — agora acabrunhado — a postura de alguém que ainda acredita no seu *cast* social. Mas houve um tempo em que ele também foi menino travesso. Conheci, faz muitos anos, por outros ângulos, esse senhor gordinho que hoje ostenta cabelos e bigodes brancos.

Setembro na Itália é o final do veraneio em todas as praias. Quando as férias acabam, o litoral fica quase deserto. Viareggio era o ponto elegante — mais do que atualmente — para se desfrutar a paisagem marítima. Na praia vazia, formávamos um grupo composto de meu irmão de um ano, a *bambinaia* (babá), um garoto de oito anos e a governanta uniformizada a rigor, com véu na cabeça e tudo. Ao longe, adultos pescavam mexilhões, canelli e vôngoles. Todos mantidos em balde com água salgada para que chegassem ainda frescos à cozinha. Como era moda defender-se do sol, cada um dos tardo-veranistas usava chapéus de piquê branco com motivos navais.

Compenetrada nas brincadeiras, eu não prestava atenção em mais nada. De repente, passa um menino correndo e arranca o meu chapéu, jogando-o nas ondas do mar. Foram em vão as tentativas feitas pela governanta, o avô, os pescadores para recuperá-lo. Uma confusão generalizada, com pessoas querendo punir o rebelde que ria desafiante das repreensões que lhe eram gritadas em francês. Quanto a mim, não sabia se chorava de raiva pela perda do chapéu ou se ficava orgulhosa por ter causado involuntariamente aquele incidente histórico com o pequeno Rainier de Mônaco.

Spaghetti com Água do Mar

Uma receita perdida no tempo

500 g de spaghetti
1 peixe médio de carne branca, sem espinhas
2 tomates
1 pimenta dedo-de-moça
orégano
manteiga
2 colheres de azeite
sal
5 colheres de salsa picada
1/2 cebola média ralada
50 g de alcaparras
1 batata grande
1 1/2 litro de água marinha
pimenta-do-reino

Limpe o peixe e ponha-o em pirex untado com manteiga. Acrescente a batata cortada em quadrados pequenos, os tomates picados, a pimenta, a salsa, a cebola, orégano, 1 colher de azeite e as alcaparras. Leve tudo ao forno médio preaquecido por 5 minutos. Retire e cubra o peixe e os outros ingredientes com a água do mar. Leve mais uma vez ao forno bem quente, deixando até o completo cozimento. Esmague o peixe com os ingredientes, que se misturarão ao que restou da água marinha no próprio pirex. Prove o sal. Reserve. Prepare os spaghetti em água quase sem sal, escorra e misture ao molho de peixe. Sirva com pimenta-do-reino moída na hora.

Fettuccine de Verão

400 g de fettuccine
2 abobrinhas
1 maço de aspargos
12 camarões grandes cozidos
4 tomates sem pele e sem sementes, em cubos
10 folhas de manjericão
1 1/2 colher de salsa picada
3 colheres de azeite
sal
1/2 limão
pimenta-do-reino

Corte as abobrinhas, com a casca, em tiras compridas e finas. Mergulhe-as em água fervente por meio minuto. Cozinhe as pontas dos aspargos. Junte as abobrinhas, os aspargos, os tomates, as folhas de manjericão, a salsa picada, sal, azeite, pimenta-do-reino e gotas de limão. Deixe marinando enquanto se preparam as fettuccine ao dente. Escorra-as, misture-as aos temperos, acrescente os camarões inteiros e sirva.

AS GRAVATINHAS DO EDITOR CALOTEIRO

Salmão. Peixe elegante na cor e no sabor, que a mim suscita um episódio mesquinho. E decididamente mesquinha é a personagem envolvida. Para escapar das tramas da fofoca, não revelarei o nome desse senhor. Bem que ele mereceria a vergonha. Mas vamos ao que interessa. Apresentado e acompanhado por um queridíssimo amigo, recebi-o na hora do almoço e resolvi inventar um prato especial. Ele, grande editor de livros de arte em Milão, era também colecionador renomado.

Sabe-se que toda boa mesa, regada a bons vinhos, faz relaxar, provoca alegria, desinibe e traz comunhão. Assim, quando estávamos sentados à mesa, a atmosfera parecia agradável. Imerso em cordialidade, ele até mesmo nos convidou a passar nossas estadias em Milão hospedados em sua casa. Ao término do almoço, olhou minhas obras, discutiu o preço e comprou algumas com raro entusiasmo. Disse que enviaria o valor acertado. Passou-se um ano. A bonita cor rosada do salmão ficava pouco a pouco descorada na minha memória, ao lado da lembrança do infeliz episódio.

Depois de inumeráveis e repetidas solicitações, chegou enfim o vil dinheiro. Mais vil ainda porque o tal editor-colecionador remeteu a metade do que me devia. Tudo tem o seu lado bom: restou-me do acontecimento a receita deste prato engravatado que eu batizara, naquele momento de euforia, com o nome daquela figura. Agora mudei ò nome do prato, para que o salafrário jamais entre na história da culinária.

Farfalle com Creme Rosa

500 g de farfalle (gravatinhas)

1/4 de litro de creme de leite

300 g de salmão defumado

1/3 de 1 pimenta dedo-de-moça sem sementes

1 tomate maduro (sem pele e sem sementes)

1/2 copo de vinho branco seco

parmesão ralado

Liquidifique o creme de leite, o tomate, a pimenta, o salmão e o vinho. Junte sal se for necessário. Cozinhe as farfalle ao dente. Misture-as ao creme liquidificado. Sirva-as acompanhadas de muito parmesão ralado.

O CORCUNDA

Quem sai de um país para se estabelecer em outro, deixa para trás uma parte da vida, em que acertos e desacertos são coisas irrevogáveis do passado. Não ter passado por uma rua, não ter visto um edifício, certa loja, não ter comprado determinado objeto, não ter visitado tal livraria ou tal café, são ocasiões perdidas para sempre. Ou que nunca mais despontam da mesma forma.

Entre as muitíssimas coisas abandonadas — ou momentaneamente subestimadas — estava a Trattoria del Gobbo, em Civitavecchia. Quando saí de Roma para vir morar na América do Sul, estava ocupada com tantos afazeres que aquela trattoria parecia algo desimportante. Errado, errado. As coisas se tornam necessárias quando as descobrimos inevitavelmente perdidas.

Meus pais costumavam visitar Civitavecchia nos finais de semana, para passar o domingo à beira-mar e almoçar em alguma trattoria. Lá situava-se o restaurante Gobbo (Corcunda), famoso por sua Zuppa di Pesce. A tão celebrada sopa feita com peixes saídos do Mediterrâneo não era o que me atraía. Pensava mais no passeio: ir àquela cidade, com meus pais e amigos.

Durante a guerra, Civitavecchia fora quase destruída. Existiria ainda o Gobbo? Seria tão mais fácil comer numa das centenas de trattorie de Roma do que sair à procura do Corcunda. Porém, na primeira volta de férias à Itália, tratei de reativar o antigo desejo para ficar em paz de uma vez por todas. Fomos até lá. Fazia frio, embora o sol de inverno consolasse a busca. Não quis pedir orientação a ninguém. Preferi que o acaso nos guiasse através dos armazéns do porto, até descobrir se o restaurante ainda estava de pé. Uma aposta que eu queria ganhar.

De repente, um hipnotizante cheiro de peixe frito me impulsionou a um caminhar até um pequeno jardim. E lá estava o velho restaurante do Gobbo! Ficaria sabendo mais tarde que era o endereço exato em que a trattoria nascera. Conseguira escapar das bombas que arrasaram o restante da cidade e do porto. O nome Il Gobbo traduzia a homenagem ao fundador, avô do proprietário que conheci naquela ocasião. No alto da parede atrás do caixa, o retrato do avô "corcunda": um homenzinho de pernas finas esticadas em calças apertadas. E compridos, finíssimos bigodes.

Os pratos inventados por ele foram passados de pai para filho com sucesso. Novas receitas fizeram o cardápio crescer — sempre glorificando os pescados. Mas a Zuppa di Pesce permanecia imbatível. Provamos a maravilha, enfim, segredo absoluto da família. De qualquer maneira, havia uma regra: quanto mais tipos de peixes se utilizassem no seu preparo, mais rica a sopa.

Muitas trattorie italianas tomam o nome do bairro, do dono, de um ofício, de um antigo personagem, de uma lenda local ou de heróis. Para o Gobbo, valeram-se do defeito físico do proprietário. Na Itália um corcunda é considerado sinal de boa sorte. O contrário acontece com as corcundas femininas: é vaticínio certo de azar. Diante de uma mulher corcunda, é necessário mudar de nível: descer ou subir um degrau, ou sentar e tirar os pés do chão. Já as corcundas de homens, aconselha-se tocá-las, acariciá-las e se deter num contato — o mais prolongado possível — com elas. Quem sabe o enigma dessa sopa seja soprado em seus ouvidos.

Zuppa di Pesce del Gobbo di Civitavecchia

Conhecer os tipos de peixes e seus segredos não é fácil e pede certa sabedoria. Compre o que o mercado oferece de melhor no dia ou o que o bolso sugerir. Procure utilizar peixes de carne branca e os de carne vermelha, considerando que os escolhidos devem ter o mínimo possível de espinhas.

Escolha mais ou menos 3 1/2 quilos de pescados: camarões, caranguejos, lulas, linguado, siris, polvo, beijupirá, ostras, anchovas, conchas, sardinhas, mexilhões, merluza, vôngoles, cavalinha, vermelho, trilhas, tainha, namorado, robalo, badejo, garoupa, pescada etc.

2 copos de vinho branco seco
2 copos de óleo
1 colher cheia de manteiga
sal
1/2 colher (café) de açafrão
2 cravos
4 cebolas
2 1/2 cenouras
2 ramos de salsão
1 ramo de erva-doce
3 ramos de coentro
1 alho-poró
2 pimentas dedo-de-moça
2 folhas de louro
1 kg de tomates firmes
3 colheres de extrato de tomate
4 colheres de purê de tomate
um pedaço de casca de laranja
4 dentes de alho
pão italiano
maisena (se necessário)

Limpe, escove e lave em água corrente as ostras, as conchas, os mexilhões e os vôngoles. Ponha todos esses mariscos em frigideira grande, em fogo alto. Depois de 3 minutos estarão abertos. Despeje então um pouco de água e deixe ferver por 5 minutos. Retire e coe com pano. Reserve o caldo.

Modo de limpar os camarões, caranguejos, siris etc.: lave-os com escovinha em água fria (guarde a parte cremosa dos corpos, mais cabeças, patas e cascas). Reserve. Dos camarões, retire todas as tripas.

Modo de limpar polvos e lulas: retire (e reserve) as cabeças e as cartilagens. Depois livre-se das bolsas de tinta e das vísceras. Separe os tentáculos. Lave tudo muito bem.

Modo de limpar os outros pescados: lave, retire as vísceras, corte cabeças, caudas, guelras, nadadeiras e espinhas dorsais (apenas estas devem ser guardadas) e corte-os em postas pequenas. Pique as anchovas. Em um litro de água, ponha as cabeças, as aparas, as cascas, as patas etc., mais as outras partes reservadas. Junte 1 copo de vinho branco seco, 2 cebolas raladas, 2 cenouras, 1 cravo, 1 ramo de salsão, 1 alho-poró, o coentro e o sal. Ferva por 1 hora, adicionando se necessário um pouco mais de água. Coe e junte à água do cozimento dos mariscos. Reserve tudo.

Em outra caçarola com 1 copo de óleo, frite as cebolas restantes raladas e 1/2 cenoura. Quando dourar, ponha no fundo 1 folha de louro, as pimentas dedo-de-moça, o açafrão, as lulas e os polvos (o corpo cortado em anéis). Os tentáculos devem vir separados por grupos. Despeje os tomates cortados em cubos, o extrato e o purê de tomate, o pedaço de casca de laranja (sem a parte branca) e o ramo de erva-doce cortada. Ao ferver, deposite as postas dos peixes mais duros. Depois de 10 minutos, o outro copo de vinho branco e os pescados menos duros, mais a parte cremosa dos crustáceos que foram reservadas. Agregue pouco a pouco o caldo preparado, cuidando de não cobrir os peixes com o líquido. Cozinhe mais, junte a polpa dos crustáceos e dos mariscos. Deixe ferver. Acrescente o outro copo de óleo e a colher de manteiga. Ferva até completar o cozimento. Ponha mais caldo se preciso. Prove o sal. O molho não deve ficar abundante, porém grosso (se necessário, adicione um pouco de maisena para engrossar).

À parte, toste no forno algumas fatias de pão italiano de 7 x 7 cm previamente esfregadas no óleo e no alho. Deposite o pão no fundo do prato, que será coberto pelas postas de peixes, o molho e algumas conchas do caldo.

Minestrone di Pasta e Ceci

300 g de cannolicchi (de 2 cm de comprimento)

250 g de grão-de-bico

2 ramos de alecrim

1 cenoura ralada fina

1 fatia grande de abóbora-moranga

muitos talos de salsa (picados)

3 talos e as folhas de 1 salsão (picados)

1 alho-poró pequeno (em rodelas)

4 cebolas pequenas (raladas)

4 ramos de manjericão (só as folhas)

alguns ramos de segurelha fresca

1 colher de extrato de tomate

1 dente de alho

sal

Deixe o grão-de-bico de molho, no mínimo por 6 horas. Depois cozinhe-o em água com o alecrim, adicionando mais água à medida que se fizer necessário. À parte, ferva primeiro o salsão. Continue a ferver juntando a segurelha, o alho-poró, a cenoura e as cebolas — com exceção das folhas de manjericão e da fatia de abóbora (esta será colocada, inteira, minutos depois). Quando as verduras estiverem quase cozidas, passe-as no liquidificador. Junte a mistura liquidificada aos grãos-de-bico, retirando antes o alecrim. Ajuste o sal e agregue as folhas de manjericão. Se o caldo ficar espesso demais, adicione pequenas porções de água quente e deixe um pouco mais no fogo. Misture tudo aos cannolicchi (bem ao dente). Dê um golpe de fogo de cerca de 5 minutos. Antes de retirar, jogue bastante segurelha e o extrato de tomate. Acomode em sopeira. Sirva acompanhado de mais segurelha e do alho cru picado finíssimo.

Pasta e Ceci alla Romana

300 g de cannolicchi

500 g de grão-de-bico

parmesão ralado abundante

1 maço de segurelha

pimenta-do-reino (moída na hora)

1 ramo de alecrim

sal

1/2 copo de azeite

2 cenouras médias

1 cebola média

2 dentes de alho pequenos

3 anchovas (limpas e sem espinhas)

2 colheres bem cheias de extrato de tomate

Deixe o grão-de-bico de molho por uma noite. Retire-o e ponha numa panela com água nova (sem sal), junte o alecrim, 2 ramos pequenos de segurelha, as cenouras e a cebola (inteiras). Deixe levantar fervura. Vá repondo água quente até que tudo fique quase cozido. Acrescente, em panela separada, 1/2 copo de azeite, 2 dentes de alho picados finíssimos, as anchovas despedaçadas e frite por poucos minutos. Reserve. Enquanto isso, retire conchas do caldo do grão-de-bico e reserve. Esse caldo servirá para juntar-se à água do cozimento da massa.

Em panela grande, dissolva o extrato de tomate com um pouco do caldo do cozimento. Retire o alecrim e a salsa, despeje o grão-de-bico cozido. Acrescente o preparado das anchovas. Volte ao fogo. Atenção: deve-se obter um caldo quase espesso que envolva o grão-de-bico. Separadamente, cozinhe os cannolicchi no caldo do cozimento inicial, reservado anteriormente. Quando ficar bem ao dente, misture tudo, prove o sal, coloque em sopeira e sirva acompanhado de queijo ralado, pimenta-do-reino e muitas folhinhas de segurelha fresca.

300 g de macarrão mediano

1/4 de kg de vagem

2 conchas de feijão cozido

6 folhas de repolho em tiras

1 folha de couve em tiras

2 cenouras raladas grossas

2 cebolas fatiadas

3 alhos-porós (só as folhas)

2 cebolinhas (cortadas em segmentos)

1/2 salsão picado

talos de salsa picados

um pedaço de abóbora-moranga (inteiro)

4 abobrinhas pequenas (em cubinhos)

100 g de ervilhas frescas

1 maço de espinafre (cortado em tiras)

6 folhas de acelga (cortadas em tiras)

1 berinjela (em cubinhos)

2 tomates (em cubinhos)

4 folhas de manjericão (inteiras)

3 dentes de alho (picados)

pimenta-do-reino

azeite

sal

Podem ser usados todos ou apenas alguns desses ingredientes, conforme o gosto de cada um. Apenas evite usar verduras ou legumes amargos.

Ponha na panela 4 colheres de azeite e refogue levemente o alho picado.

Depois, acrescente as folhas verdes mais duras (repolho, acelga etc.) para que soltem água. Na seqüência, adicione as outras verduras, o feijão cozido, o pedaço inteiro de abóbora e pouquíssima quantidade de água fervendo. Por último, entram o tomate, o sal e a pimenta-do-reino moída. Cozinhe por 45 minutos, junte o macarrão, polvilhe com o manjericão, cuidando para que o caldo não resulte muito líquido nem escasso. Este minestrone deve ficar espesso.

PAVANA PARA UMA INFANTA ESBUGALHADA

Num dia qualquer de verão, calor danado, fomos ao aeroporto de Carrasco, em Montevidéu, receber a infanta espanhola que vinha de Buenos Aires. Ela faria rápida escala. O velho aeroporto tinha um restaurante no segundo andar, tão sem gabarito quanto a maioria dos restaurantes uruguaios nos anos 50 (aliás, salvavam-se dois: o Moretti e o L'Aquila). Pode-se imaginar a comida terrível servida ali.

O local vivia lotado, apesar de sujo e em desordem. A gritaria era ensurdecedora. Enfim, lá é que deveríamos receber a jovem amiga real. Ela chegou imponente, com magnífico porte. À sua espera, um grupo de franquistas decadentes, do qual todas as mulheres faziam o ritual do beija-mão com a princesa. Como souberam da passagem dela? A infanta, passadas as saudações, procurou por seu tio Alfonso, proveniente da Europa e em escala rumo ao Chile.

Olhou ao redor e encontrou-o sentado a uma mesa entulhada de pratos, xícaras, restos de leite, farelos de pão, manteiga, marmelada e croissants. Ou seja, as sobras do sempre igual café da manhã servido nos bares de Montevidéu. A toalha manchada, guardanapos de papel usados, talheres pegajosos, uma jarra de água pela metade. Desordem absoluta. O tio Alfonso, expressão enfastiada, sofria com o calor. A camisa amarrotada, aberta no peito, finalizava um quadro de dar dó.

Ao avistar a sobrinha, iluminou-se. Sorriu com seus 64 possantes dentes, realçando a pele tostada de sol, os olhos azul-celeste, os cabelos brancos encaracolados. Um belo homem, no auge de seus 76 anos, que fora um dos primeiros aviadores profissionais da Espanha. Como tio, era um exemplo de rebeldia, admirado por todos os sobrinhos.

A infanta conversava com gestos delicados. De repente, o tio — talvez pelo efeito do calor — estendeu o braço direito com fúria e jogou ao chão tudo o que havia sobre a mesa. Não satisfeito, segurou uma ponta da toalha e pôs-se a sacudi-la. Não, o escândalo ainda não tinha acabado. Tio Alfonso passou a toalha no rosto, no peito, nos braços, até secar o suor que o molhava inteiro. Depois, como se nada houvera acontecido, retomou o diálogo com a infanta, a essa altura de olhos esbugalhados. Como todos naquele restaurante plebeu.

Receita para um Dia de Muito Calor

500 g de rigatoni
400 g de mozarela de búfala
azeite
sal
1 maço de manjericão
1 colher (chá) de orégano fresco
1 lata de atum no azeite, escorrida
100 g de anchovas
2 tomates verdes
1 tomate maduro
pimenta-do-reino e sal

Cozinhe os rigatoni. Junte o azeite e o órégano fresco. Acompanhe-os com a mozarela de búfala em fatias, uma boa quantidade de manjericão cru (folhas inteiras), o atum, pedaços das anchovas, mais os tomates verdes em rodelas finíssimas e o maduro em fatias grossas. Tempere com sal e pimenta-do-reino moída na hora de servir.

Tio Alfonso, esportivo que era, apreciava pratos vigorosos. Em sua homenagem, algumas receitas com cebolas.

Spaghetti com Anéis de Cebola

500 g de spaghetti

farinha de trigo

2 ovos

50 g de manteiga

noz-moscada

1/2 copo de leite

6 ou 4 cebolas grandes

salsa crespa (uns raminhos)

parmesão ralado

sal e pimenta-do-reino moída

azeite

Cozinhe os spaghetti ao dente. Tempere-os com manteiga derretida, parmesão, sal e pimenta-do-reino. Cubra a travessa com muitos anéis de cebola. Sirva quente acompanhado de salsa crespa frita e crocante.

Anéis de Cebola

Corte as cebolas em rodelas de 1/2 cm de espessura e desdobre-as em anéis. Bata 2 ovos com sal, pimenta-do-reino, pitadas de noz-moscada e o leite. Passe os anéis primeiro nessa mistura e depois em farinha de trigo. Frite em azeite abundante.

Cebolas Recheadas com Pequenas Farfalle

6 cebolas grandes
300 g de farfalle pequenas
1/4 de maço de manjericão
10 folhas de hortelã
parmesão ralado
molho básico de tomate (receita seguinte)
açúcar
1/4 de litro de creme de leite
60 g de manteiga

Descasque as cebolas e ferva-as inteiras rapidamente (devem ficar quase cruas). Corte-as pela metade no sentido horizontal. Depois de frias, retire parte das polpas, deixando os centros vazios. Cozinhe as farfalle ao dente, condimentando-as com queijo ralado, o creme de leite (previamente misturado a um pouco de molho de tomate), manjericão e hortelã picada. Polvilhe as cebolas com açúcar. Recheia-as com a massa e, por cima, deposite um tico de manteiga. Ponha em pirex untado com o restante da manteiga. Leve ao forno até derreter o açúcar, que deve dourar as cebolas. Sirva com uma folha de hortelã sobre cada cebola.

Molho Básico de Tomate

4 kg de tomates maduros
8 cebolas pequenas para cada quilo de tomate
1/2 copo de azeite (ou óleo de milho)
algumas folhas de manjericão
1 colher (chá) de açúcar
sal a gosto

Ponha os tomates (cortados em cubos, sem peles nem sementes) em uma panela de bom tamanho. Acrescente as cebolas cortadas ao meio, as folhas de manjericão e o azeite. Ferva por aproximadamente 15 minutos, até que as cebolas fiquem cozidas mas consistentes. Deixe reduzir até ficar espesso. Por último, adicione sal e (para anular a acidez) o açúcar. Retire as cebolas e use o molho. (Como opção, pode-se passar o molho no liquidificador, juntamente com as cebolas.)

Cebolas com Recchitelle e Azeitonas Pretas

250 g de recchitelle

2 xícaras de azeitonas pretas picadas

1 dente de alho

4 colheres de salsa picada

3 folhas de hortelã

um raminho de dill

6 cebolas grandes

1 tomate de polpa firme, em cubos

açúcar

4 colheres de azeite

farinha de rosca

sal a gosto

Ferva as cebolas inteiras por 1 $^1/_2$ minuto. Retire a polpa central. Cozinhe as recchitelle ao dente e misture com o azeite, o alho, a salsa, a hortelã, o dill e as azeitonas (todos muito bem picados). Ponha os cubos de tomate no fundo das cavidades das cebolas e encha com as recchitelle. Polvilhe açúcar no exterior das cebolas, vedando a parte superior com farinha de rosca, e acrescente algumas gotas de azeite. Ponha em pirex untado. Deixe no forno preaquecido até que o açúcar derreta. Sirva quente.

A LIBÉLULA E AS BORBOLETAS

Schubert. Não, não vou falar do compositor romântico, mas de um estilista homônimo. Schubert era uma figura pequena, magra e que, a despeito da época em que viveu, permitia-se desafios. Usava os braços carregados de braceletes e berloques, as mãos (que nunca paravam) repletas de anéis, além de muitas correntes de ouro no pescoço.

Esse personagem romano viveu entre os anos 40 e os 50, ainda sob a influência da moral vitoriana que autorizava condenar à cadeia os homens que agissem diferentemente dos padrões masculinos. Schubert amava os véus, as rendas, os bordados, as pedrarias, os tons pastel, os veludos, os damascos, os lamês, as passamanarias, os tafetás, as organzas e o cetim. Resumindo: tudo o que trouxesse mais vivacidade ao corpo da mulher.

Estive em seu ateliê, um palácio renascentista na região central de Roma, em busca de orientação sobre os meus primeiros desenhos. Ele surgiu segurando um vestido branco de organza, com centenas de borboletas, de todas as cores e tamanhos, aplicadas. Costuradas só pelos corpos, pareciam bater asas. Schubert trazia o vestido como se carregasse uma dama desmaiada. Ao mostrar os detalhes da própria criação, seu rosto se iluminava de orgulho.

Saí de lá sem obter a ajuda pretendida. Mas o encontro valeu por um detalhe histórico. O vestido com as borboletas enfeitaria pouco depois outra borboleta notável. Numa recepção na embaixada de seu país em Roma, Evita Perón compareceu com aquela roupa esplêndida. A mesma Evita que naquela visita oficial à Itália fora recebida pelo papa e em seguida violentamente vaiada em frente à embaixada argentina. Evita e seu glamour esvoaçante foram alvo de uma intensa chuva de tomates maduros. Afinal, estávamos em julho, melhor momento da safra.

Empanadas Criollas ao Forno

Receita argentina

Recheio:

Ponha 250 g de gordura vegetal na panela. Quando bem quente, acrescente 750 g de cebola ralada, 1 colher (chá) de cominho, páprica picante a gosto, 150 g de pimentão verde picado e 2 colheres de água. Assim que a cebola dourar, junte 1 kg de coxão mole moído. Em fogo forte, salgue e mexa por 4 minutos. Deixe esfriar, acrescente 150 g de uvas-passas sem sementes, 3 ovos cozidos em pedaços e azeitonas verdes picadas.

Massa:

Abra na mesa, em forma de coroa, 1 kg de farinha de trigo. Junte 300 g de gordura vegetal derretida e morna, 2 colheres de manteiga derretida, 1 colher (chá) de páprica e sal. Misture e trabalhe tudo junto. Cubra com um pano e deixe descansar por 20 minutos. Com rolo, estenda a massa com 0,5 cm de espessura. Corte discos de 12 cm de diâmetro e ponha o recheio no centro. Feche as empanadas dobrando os discos (umedeça as bordas com pouca água e aperte). Forme um cordão dobrando a massa na parte lateral. Leve ao forno bem quente.

Cannoli alla Siciliana

Consiga 8 canudos de alumínio ou de bambu, com cerca de 2 cm de diâmetro e 20 cm de comprimento. Misture 150 g de farinha de trigo, 20 g de gordura vegetal, 1/2 colher (café) de açúcar, uma pitada de sal, um pouco de vinho branco ou tinto, até obter uma massa pouco dura. Faça uma bola e deixe descansar por 1 hora, coberta com pano. Estique a massa com 3 mm de espessura. Corte retângulos de 10 cm e enrole-os nos canudos, em sentido diagonal. Feche apoiando e apertando as pontas na parte central. Frite de dois em dois, até dourá-los. Deixe esfriar e retire a massa com cuidado. O canudo matriz deve estar completamente frio para receber outra massa.

Para o recheio, misture no liquidificador: 1 colher de água de flor de laranjeira, algumas frutas cristalizadas, 500 g de ricota (se estiver dura, amoleça-a com gotas de leite), 1 barra de chocolate meio amargo de 100 g e 250 g de açúcar de confeiteiro. Ao creme liquidificado, acrescente lascas de chocolate e pedacinhos de laranja cristalizada. Encha os cannolli, alise as pontas com uma faca, enfeite-os com ½ cereja cristalizada e polvilhe-os com açúcar de confeiteiro.

O QUEIJO TRANSCENDENTAL

Vá lá que todos guardem um carinho especial pela comida a que foram acostumados na infância, ou por aquela exclusividade gastronômica da avó, da tia ou de sua cidade. Gostar de receitas que trazem o cheiro de épocas perdidas é uma coisa, fazer disso uma tragédia é absurdo.

Conheci muitas italianas expatriadas que viviam a infernizar os maridos, por saudade de temperos ou de pratos. Queriam voltar a viver na Itália. E apenas lá. Uma delas se desesperou tanto que conseguiu estragar o casamento, a vida do marido, a própria vida e a dos filhos. Suas lágrimas eram sinceras e a dor verdadeira. A coitada, exilada pela profissão do companheiro, lutava com os costumes de um país diferente e tentava defender-se dos ataques de outras mulheres — todas à espera da ocasião propícia para atirar-se, famintas de amor e paixão, sobre o seu atraente marido.

Tudo para ela era motivo de choro. Sem contar a falta que sentia dos queijos. Repetia, entre lágrimas: "Onde, onde, pelo amor de Deus, encontrar ricota tão fresca, tão saborosa e tão alva como na *pizzicheria* na esquina de casa em Roma?". Por aqui, no início dos anos 70, qualquer tipo de queijo mais elaborado adquiria a forma de obra de arte, ou o significado simbólico de um Oscar ou de um prêmio Nobel.

Como, pensava aquela triste amiga, poderia fazer os Suppli al Telefono, a Mozzarella in Carrozza ou o Bolo de Mascarpone? O choro transformou-se em histeria. Ela voltou para a Itália, descasada.

Eu gostaria de saber se encontrou a felicidade junto ao seu tão amado Suppli al Telefono, especialidade da cozinha romana.

SUPPLI AL TELEFONO

Cozinhe um copo de arroz, ou utilize sobra equivalente. Junte 2 ovos, 3 colheres de molho bolonhês ou de tomate, parmesão ralado e um pouco de pimenta-do-reino. Misture com delicadeza. Corrija o sal. Dê a forma de croquetes largos. Faça depois um corte lateral e introduza um pedaço grande de mozarela. Feche bem, apertando o arroz para que o queijo não saia ao fritar. Passe em clara de ovo e farinha de rosca ralada grossa. Frite rapidamente em óleo fervendo até dourar. Seque em papel absorvente e sirva quentíssimo, para que a mozarela, ao ser mordida, forme uns fios da mão até a boca. Esses fios é que dão o nome à receita: Suppli al Telefono, "bolinhos ao telefone".

PAGLIA E FIENO AI QUATTRO FORMAGGI AL FORNO

350 g de talharim verde

350 g de talharim branco

200 g de manteiga

50 g de provolone

50 g de roquefort

150 g de parmesão

100 g de mozarela

1 copo de leite

sal

farinha de rosca (pouquíssima)

Rale de forma grosseira o provolone e a mozarela. Rale fino o parmesão e desmanche o roquefort no leite quente. Cozinhe absolutamente ao dente os talharins, separados, em água com pouco sal. Escorra-os, misture e adicione a manteiga derretida, o parmesão, a mozarela, o provolone e o roquefort. Unte uma fôrma refratária e ponha a massa polvilhada com nuvens de farinha de rosca. Dê um golpe de forno quente por 4 minutos. Sirva bem quente, com os queijos ainda derretidos.

Fusilli do Manolo

500 g de fusilli cortados em pedaços
250 g de roquefort
queijo pecorino ralado fino
300 g de mozarela ralada grossa
250 g de manteiga
pimenta-do-reino em grãos
200 g de alcaparras
8 folhas frescas de hortelã
1 copo de creme de leite
sal

Rale grossa a mozarela e esmague o roquefort em 1 copo de creme de leite. Reserve. Cozinhe o macarrão não muito ao dente. Escorra-os e acrescente a manteiga dissolvida e ainda quente. Numa terrina grande, misture com delicadeza a massa a punhados de mozarela, evitando que grudem. Depois, despeje o creme de roquefort, mais um tanto de pimenta-do-reino moída na hora. Prove e corrija o sal. Faça tudo muito rapidamente para impedir que a massa e o queijo esfriem. Enfeite com as folhinhas de hortelã e as alcaparras dessalgadas. Acompanhe com pecorino ralado.

Molho Quatro Queijos

1 litro de creme de leite
150 g de catupiry
pitadas de noz-moscada
4 colheres de gorgonzola
3 queijos tipo polenguinho
2 colheres de parmesão ralado

Numa panela, ponha (sem levar ao fogo) o creme de leite e desmanche o catupiry. Só então acenda a chama. Mexa sempre, adicione pitadas de noz-moscada, o gorgonzola e mexa até derreter. Acrescente os polenguinhos e continue mexendo. Ponha o parmesão e mexa. Retire do fogo. Mexa mais 5 minutos, aproximadamente. Dá para 5 pessoas.

BONECA COBIÇADA

Numa caixa de madeira preta, com fechadura e cadeado, eu guardava os meus brinquedos. Brincava sozinha por horas, agachada no chão. Filha única, acostumada a ter espaço pela casa, as brincadeiras corriam tranqüilas, silenciosas, ordenadas. Aquela mesma caixa servira de baú para o enxoval de meu pai, no tempo de cadete na Academia Militar de Turim. Pouco me importava se a caixa tivesse história; era a minha caixa, o meu baú da felicidade diária. Quando outras meninas brincavam comigo, eu até permitia que pegassem os brinquedos — mas nada contente. Sentia profundo ciúme e medo de que pudessem se quebrar.

Entretanto, o meu amor voltava-se mais para as bonecas. A primeira que ganhei era uma Lenci de feltro, um brinquedo de luxo. Hoje são caras e raras. E, de tanto manuseio, estava gasta: o nariz descascando, os cabelos desalinhados, o vestido rosa-shocking amarfanhado. Seu nome era Liliana, pois eu me chamo Orietta Liliana. As marcas das outras, de porcelana, celulóide ou pano, eram menos famosas. Tive bonecas de tamanhos diversos e diferentes medidas. Os vestidos, costurados com santa paciência por minha mãe, variavam dos simplórios aos excessivos.

Certa vez uma delas quebrou a cara. A cabecinha de celulóide dividiu-se em duas e ela foi levada com urgência a um hospital de bonecas. Feito o reparo, a cicatriz ficou tão grande que seria necessário um Pitanguy para dar jeito. A boneca permaneceu assim, um pouco menos querida, mas ainda fazendo parte do grupo. Eram onze no total. Onze bonecas para uma só menina.

Num final de tarde, meu pai recebeu a visita de seu projetista, acompanhado da filha de seis anos. Eram pessoas modestas, e meu pai, no intuito de agradar à menina, pediu-me que a presenteasse com uma boneca. Odiei a sugestão. Nem pensei se onze bonecas eram exagero para mim. Ou que a garota humilde talvez não tivesse um brinquedo sequer. Mimada, pouco me interessava repartir brinquedos com quem tivera menos sorte. Obediente — e com o coração constrangido, fechado e um tanto triste —, escolhi uma boneca, em gesto teatral de altruísmo. A escolhida, naturalmente, foi aquela com a cicatriz irremediável. Mesmo entregando a mais feia, senti que uma das minhas onze filhas partia para sempre. E a cicatriz me pareceu, naquele momento, uma virtude da boneca.

Pennette al Profumo di Cannella

350 g de pennette rigate
200 g de ricota de primeira
15 folhas de manjerona
1 colher (café) de canela (moída na hora)
40 g de manteiga
1/2 copo de creme de leite
sal

Ponha a ricota em frigideira e amasse-a com garfo (se necessário, acrescente gotas de leite). Esquente-a rapidamente em banho-maria, junto à canela moída e às folhas de manjerona. Prepare as pennette ao dente, escorra e acrescente o molho de ricota. Sirva com o creme de leite misturado à manteiga derretida e mais um tanto de canela.

PENICOS DE ESTIRPE

Instalar-se em país novo e enfrentar idioma desconhecido não é tarefa simples. Minha primeira reação ao chegar ao Uruguai foi ficar calada. Por dois meses meus lábios não se abriram. Tentava me comunicar por meio de gestos ou desenhos improvisados. Enfim, virei muda. Pouco a pouco o choque passou e aprendi espanhol de um jeito pitoresco. Passados meses, um amigo solicitou meu primeiro trabalho: decorar a sua sala de jantar com peças antigas.

Montevidéu e Punta del Este apresentavam poucos endereços que comercializavam antiguidades regionais. Os antiquários geralmente misturavam objetos seminovos e velhos, amontoados ao acaso. Pode-se imaginar o meu deslumbramento ao passar por uma rua central da capital uruguaia e descobrir uma loja de roupas usadas, em cuja vitrine, em meio a trastes velhos, pairava uma magnífica sopeira de porcelana branca decorada com flores. Ficaria perfeita na sala de jantar do meu amigo. Perguntei o preço. O homem que me atendeu disse: "A peça é um *servicio*". Respondi que pouco importava se era um serviço, indagando quantas peças tinha e o preço total. Mas ele insistia: "É um *servicio*, é um *servicio*".

O mistério acabou quando o homem, pacientemente, mostrou que a sopeira tinha apenas uma alça. Percebi, rubra de vergonha, que não se tratava de uma sopeira, mas de um urinol! Explico o equívoco: em espanhol, *penico* se chama *servicio*.

Anos depois da minha gafe de estréia como decoradora, descobri num livro a divertida origem do nome francês dos penicos. Na França, o urinol passou a ser chamado de *bourdalou* graças ao célebre pregador Louis Bourdalou (1632-1704). Seus sermões intermináveis obrigavam as senhoras a levar penicos para a igreja, disfarçados debaixo das amplas vestes.

Quem assistiu ao antológico filme de Luchino Visconti *Il Gattopardo*, ambientado em 1860 na Sicília, deve lembrar de uma cena insólita. No baile na mansão do príncipe, o chão do banheiro estava repleto de urinóis, para os convidados satisfazerem suas necessidades. Portanto, talvez por influência da geografia da produção viscontiana, vem-me à cabeça uma receita clássica da Sicília. Que não pode ser servida em penicos, claro.

Cassata Siciliana

Condimente 500 g de boa ricota com 300 g de açúcar de confeiteiro, 2 gotas de essência de baunilha e 1 copo de marasquino. Passe na peneira e trabalhe com colher de pau até a mistura virar creme. Acrescente chocolate amargo e cubos de frutas cristalizadas (sugiro cereja, limão ou laranja). Forre uma fôrma de 15 cm de diâmetro com papel-manteiga. Ponha no fundo 150 g de pão-de-ló fatiado (comprado numa boa padaria). Adicione o creme de ricota às bordas das fatias, para que se unam mais facilmente. Nesse "encaixe" de pão-de-ló, despeje o creme de ricota e alise com faca. Complete com mais fatias de pão-de-ló, até cobrir por inteiro. Deixe na geladeira por 2 horas. Desmolde, retire o papel e jogue por cima açúcar de confeiteiro em abundância.

A AMANTE DO ESFREGÃO

Ninetta, profissão lavadeira. Ocasionalmente, fazia faxina. Sentia-se ajudada por Deus e a Ele era grata. Casando-se jovem, chegou a dar à luz 21 vezes. A maioria dos filhos morreu cedo, restando-lhe apenas seis — que suava para criar.

Fazia o seu humilde trabalho com dedicação. E, sem conhecer as teorias organizacionais de Montessori, garantia ser "esquematizada" desde criança. Talvez até demais. Bastava enxergar qualquer coisa fora do lugar para imediatamente recolocá-la onde achava que deveria estar. Se deixasse cair uma folhinha de salsa no chão, abaixava-se no mesmo instante para recolher aquele "entulho" e jogá-lo no lixo. Sofrendo de compulsão por limpeza, adorava demonstrar seu apego à ordem. Passava horas jogando água no chão, secando com um rodo envolto em trapos. Meia hora depois de ver o assoalho enxuto, jogava água outra vez — por puro prazer.

Em oposição a pessoas assim, meus armários vivem tão abarrotados que só consigo retirar algo depois de enfiar mãos e braços no meio das roupas. Sem falar da ameaça de tudo despencar ao abrir das portas. Essa aparente desordem nunca me impede de encontrar miudezas com os olhos fechados. Localizo qualquer alfinete. Confesso que invejo quem mantém armários impecáveis, em quartos que parecem dirigidos por robôs ou computadores. Mas, sinto muito, prefiro meu cotidiano caótico.

Bagunças à parte, lembro de duas receitas que a compulsiva Ninetta costumava preparar na casa da minha mãe, sempre que cobria as férias da empregada oficial. E aproveitem para deixar a cozinha de pernas para o ar!

Garganelli al Pettine

1/2 kg de farinha de trigo

1/4 de noz-moscada ralada fina

4 ovos inteiros

2 gemas

Prepare a massa com os ingredientes acima. Passe o rolo até que atinja 1 mm de espessura. Corte em quadrados de 3 cm. Enrole-os com ajuda de um lápis, dando-lhes forma de macarrão. Feche as extremidades com um garfo que tenha dentes bem separados. Cozinhe a massa em água fervente salgada.

Para o molho:

1/2 kg de lingüiça magra de porco

1 cebola pequena ralada

4 cravos

3 folhas de louro

canela

azeite

manteiga

1/4 de taça de vinho tinto

600 g de tomates sem pele

sal

Frite bem a cebola no azeite e na manteiga. Acrescente a lingüiça. Doure. Regue com o vinho até evaporar. Acrescente os tomates em pedaços. Por último o louro, os cravos e canela. Prove e corrija o sal. Retire quando a lingüiça estiver supercozida. Despeje sobre a massa quente.

PANCOTTO (SOPA DE PÃO COZIDO)

azeite
sal
noz-moscada
1 cebola grande ralada
bastante salsa (com talos) picada
2 ramos de salsão (partes verde e branca, picadas)
600 g de tomates maduros (em cubinhos)
1 colher (café) de açúcar
1 folha de louro
1 cenoura ralada fina
1 alho-poró (inteiro) em fatias
3 cebolinhas verdes cortadas
1/2 pimenta dedo-de-moça sem sementes
1 erva-doce cortada pequena (só a parte verde)
2 tabletes de caldo de frango
30 g de manteiga
4 ovos
manjerona picada
70 g de bacon defumado (parte magra)
400 g de pão amanhecido de qualquer tipo
queijo parmesão ralado
sal

Numa panela com pouco óleo, frite o bacon, a cebola, a salsa, o salsão, os tomates, o louro, a cenoura, o alho-poró, a erva-doce, as cebolinhas verdes e a pimenta. Quando tudo estiver dourado, acrescente a manteiga e o açúcar, deixando esfriar à parte. Misture dois ovos batidos e um punhado de manjerona. Reserve. Corte o pão em cubinhos e mergulhe-o no caldo de frango (com pouca água) por 1 hora.

Ponha o pão numa panela com noz-moscada, os dois ovos batidos e a manjerona, bastante queijo ralado e sal. Misture sempre com colher de pau, acrescentando, se necessário, um pouco de caldo. Deixe ferver alguns minutos até ficar consistente. Retire do fogo e junte as verduras cozidas com a quantidade de caldo necessária para comer com colher. Sirva com queijo abundante.

Farfalle ao Forno com Berinjelas e Erva-Doce

500 g de farfalle
4 berinjelas assadas
1/4 de litro de creme de leite
2 raminhos de folhas de erva-doce
1 cenoura grande (ralada e cozida no vapor)
1 maçã verde ralada
300 g de mozarela
sal

Utilize toda a polpa das berinjelas, previamente levadas inteiras ao forno e descascadas depois de assadas. Bata-as no liquidificador junto com o creme de leite, a cenoura, as folhas de erva-doce e a maçã. Tempere com sal. Misture esse molho às farfalle preparadas ao dente. Espalhe em pirex, cobrindo com mozarela fatiada. Leve ao forno até derreter.

Pastasciutta con Pancetta

Molho branco rápido

500 g de rigatoni
250 g de bacon defumado
200 g de manteiga
200 g de creme de leite
parmesão ralado fino
sal

Corte pequeno o bacon. Ponha 3 colheres de água numa panelinha, frite o bacon sozinho e depois com ajuda da manteiga. Retire do fogo e acrescente o creme de leite e sal. Despeje imediatamente os rigatoni, que já terão sido misturados a uma quantidade generosa de queijo ralado, depois de preparados ao dente.

Bavettine, Bacon e Tomate

Molho vermelho rápido

500 g de bavettine
200 g de bacon magro defumado
azeite
10 grãos de pimenta-do-reino (esmagados)
2 kg de tomates sem pele, em cubos
parmesão ralado
sal

Frite o bacon em 1 colher de água quente. Quando derreter (sem dourar), junte a pimenta e o sal e cozinhe com os tomates (que devem ficar pouco cozidos). Prepare as bavettine ao dente e tempere-as com óleo e queijo ralado abundantíssimo. Depois derrame o molho sobre a pasta.

RITO DE SANGUE

Agarrar um noivo — firme, para casar — é aspiração de qualquer garota. Aspiração compartilhada por homens que também querem enlaçar namoradas. Na Itália, *confetti* são amêndoas revestidas de açúcar branco duro. É costume há séculos presentear com *confetti* (sempre em número ímpar) os pais, parentes, padrinhos e amigos dos noivos durante as bodas. Acredita-se que quem colocar três *confetti* debaixo do travesseiro, por três noites seguidas, na terceira noite sonhará com a imagem do ser amado.

Tereza era uma de minhas auxiliares e andava apaixonada por um soldado da aeronáutica. Não sei bem como, mas acabei ajudando a acobertar as visitas sorrateiras que o rapaz fazia à namorada. Até aí, nada de especial. Um dia ela me contou, radiante, que durante uma daquelas visitas havia conseguido o que mais desejava. Oferecera café ao rapaz e ele o tomara com gosto. Inocente, não imaginava que bebera um feitiço: um pouco da menstruação de Tereza! Ela me explicava, excitadíssima, que esse método seria infalível para segurar um homem. Existiria também o sistema igualmente poderoso para segurar a mulher amada: o namorado deve lhe oferecer um cappuccino com gotas do próprio esperma!

Exatos 28 anos depois, já na Argentina, o mesmo estratagema foi utilizado contra Aldo Federico. Uma cozinheira que trabalhava conosco queria conquistá-lo a qualquer custo. Não deu certo. Ele provou o café, mas sentiu um sabor estranho. E o estrambólico feitiço de amor não se consumou.

A ligação pelo sangue, o ato de misturar sangue de duas ou mais pessoas como pacto inquebrantável, é ritual antiqüíssimo, além de prática comum em muitas culturas, para selar cerimônias, alianças entre amigos, conspiradores ou guerreiros. Mas deixemos as explicações do fato para os antropólogos. Minha opinião sobre esse assunto será uma receita intensa como a paixão.

Massa ao Conhaque

Poção para animar namorados depois da meia-noite

Numa panela, derreta 1/4 de xícara de manteiga, tomando cuidado para que não escureça. Junte um cálice de bom conhaque e, sem deixar de mexer, acrescente 6 gotas de tabasco e umas 20 de molho inglês. Depois comece a adicionar muita pimenta branca e a moer muitíssima pimenta-do-reino. Continue a mexer e agregue 4 colheres de creme de leite. Esquente bem, mas sem deixar ferver. Prove o sal. Reserve um pouquinho. Prepare ao dente a massa escolhida. Escorra e esquente o molho por 2 minutos em fogo baixo. Antes de servir, jogue sobre a massa outro cálice de conhaque, esparramando junto com o molho. Ponha na travessa e sirva correndo, prato por prato. Parmesão ralado à parte.

Fusilli com Camarão Flambado no Conhaque

500 g de fusilli
350 g de creme de leite
8 camarões grandes, limpos, cozidos e em pedaços
1 colher (chá) de curry ou açafrão
300 g de cogumelos shiitake cortados em 4
1 copo (licor) de conhaque

1 copo de molho de tomate
sal

Cozinhe os shiitake em 200 g de creme de leite. Reserve. Cozinhe a massa ao dente e escorra. Dissolva o curry ou o açafrão rapidamente no fogo, com o restante do creme de leite e sal. Junte este creme e o dos cogumelos ao macarrão, e arrume numa travessa, com os camarões cortados na parte de cima. Na mesa, espalhe o conhaque e flambe. Sirva acompanhado por molho de tomate quente.

O MOLHO DA DIFÍCIL VIDA FÁCIL

Puttanesca! Molho de origem popular pelos elementos fortes e naturais que integram o seu sabor ou por ser atribuído ao cotidiano italiano. Talvez o sucesso dele se ligue à referência explícita às *puttane*, ou seja, às putas.

Pensem com seus guardanapos: quando surgiu essa velhíssima receita, a prostituição era tabu definitivo na mesa de qualquer família decente. Tanto que o dicionário Larousse, na edição de 1940, ignora e omite propositalmente as palavras *putain*, *cocotte*, *prostituée* etc., explicando o verbo *prostituir* no sentido figurado de "degradar um talento".

Ando lendo um livro sobre as cortesãs da Renascença, período em que o convívio entre as putas (não é uma delícia pronunciar essa palavra?) e os cavalheiros obedecia a regras delimitadas. Teria sido assim que este estimulante macarrão participava do mundo das putas de grande categoria e das mulheres da rua. Séculos depois, chegou à mesa das putas consideradas sofisticadas — mantidas por poderosos e apelidadas de *cocottes*. Palavra francesa, vejam só, ligada à cozinha: além de ser o nome dado pelas crianças às galinhas, designa uma espécie de caçarola de ferro fundido.

500 g de spaghetti
1 copo de azeite
1 pimenta-malagueta
1 dente de alho
12 azeitonas verdes descaroçadas e picadas
12 azeitonas pretas descaroçadas e picadas
1 maço de salsa
2 colheres de alcaparras
4 filés de anchova
150 g de extrato de tomate
4 xícaras de molho de tomate caseiro
sal

Com uma parte do azeite, frite o alho inteiro, as azeitonas verdes, as anchovas trituradas e metade do maço de salsa picado. Depois de 5 minutos, acrescente o extrato de tomate e 1/2 copo de água quente. Mexa bem. Espere 2 minutos, sempre mexendo. Adicione as azeitonas pretas, sal a gosto, a salsa restante, as alcaparras e o molho de tomate previamente esquentado. Mexa por 1 minuto em fogo alto. Desligue. Reserve. Cozinhe o spaghetti ao dente, escorra-os e condimente com o que restou do azeite. Tempere em seguida com o molho.

QUEBRAR OU NÃO QUEBRAR

Alguns costumes no ritual do macarrão são bastante controvertidos. Por exemplo, cortar os spaghetti ou *spaghettini* ao meio por questão de dupla comodidade: no momento de cozinhar e ao enrolar no garfo. Aliás, existe um ato condenável — e um tanto provinciano — comum no Sul da Itália, que é pedir auxílio a uma colher na hora de comer o macarrão. Basta experimentar o que vou sugerir e todos estarão comendo os spaghetti facilmente, com técnica italiana de sete gerações. Vamos lá.

Segure o garfo entre o polegar, o indicador e o médio, como se fosse uma caneta, sem apertar. Apóie os dentes (do garfo, bem entendido) no limite entre a borda do prato e os spaghetti, segurando pouquíssimos fios. Imprima um movimento rotatório ao garfo, e os fios serão envolvidos (pelo garfo, repito) carinhosamente até chegar ao fim de seu comprimento. Leve-os à boca. Pronto. Você já é quase um italiano. Come spaghetti de maneira simples e desenvolta.

Agora, quero apresentar um diplomata italiano — *anche napoletano* — que pode ilustrar a história da pasta. Esse senhor, um adido comercial, era um tanto gordo, mas vaidoso. Careca, mas com bigodes. Baixo, mas altivo. Gostava de cozinhar. Convidados à sua casa, recebeu-nos na cozinha e aproveitei para observar o verdadeiro estilo napolitano de preparar spaghetti. Nosso amigo, com toda a serenidade e consciência dos seus atos, iniciava o ritual quebrando os fios em duas partes! Naquele momento, percebi que são duas as correntes da teoria dos spaghetti bem preparados: os que os dividem e os que *não* os dividem em duas partes.

Convidei-o à minha casa. Ao sentar-se no lugar que tinha reservado à mesa, fiquei surpresa com algumas de suas manobras. Eu não havia dito que ele era vaidoso, esse bazófio? Era também mulherengo, um garanhão. No momento, acompanhava-o uma amiga. Uma senhora sem culpa nem pecado. As más línguas divulgavam que ele exigia vê-la, na intimidade, completamente depilada (costume que conhecera e apreciara no continente africano, quando ali estivera, em razão da guerra e da carreira). Embora desprovido dos dotes de um *latin lover*, tinha as prerrogativas do macho latino. Mas, afirmo, era um bom homem.

Até hoje não decidi se o procedimento de dividir os spaghetti, que ele afirmava ser correto, não seria falso. Tanto quanto deve ser um erro depilar por completo o corpo de uma mulher, como os homens fazem com a barba.

Spaghetti com Agrião

500 g de spaghetti
1 maço de agrião bem lavado
100 g de provolone ralado
4 colheres de alcaparras inteiras
2 colheres de vinagre de vinho
1 colher de azeite de alho
1/2 cebola média ralada
parmesão ralado
pimenta-do-reino

Passe as folhas e os talos do agrião no liquidificador, com o vinagre, o azeite e um pouco da água do cozimento (5 minutos) da cebola ralada. Junte os spaghetti ao dente a esse molho liquidificado, a cebola, as alcaparras e o provolone. Sirva acompanhado de parmesão ralado e pimenta moída.

Spaghetti Poli

Frite 3 dentes de alho no azeite até dourar. Retire-os e coloque 3 colheres de molho branco, 3 colheres de molho bolonhês, três colheres de extrato de tomate, $^1/_2$ copo de azeitonas pretas picadas, três colheres de alcaparras, sal, pimenta-do-reino moída, azeite abundante e $^1/_2$ copo de salsa picada. Leve tudo ao fogo por 2 minutos, acrescentando o mínimo de água quente. Apague o fogo e misture mais $^1/_2$ copo de salsa. Deixe mais alguns minutos no fogo. Cozinhe os spaghetti ao dente. Escorra e cubra com o molho. Sirva com parmesão ralado.

MINHA AMIGA LIBERTINA

Sempre afirmei que as putas têm profundo senso de generosidade. Seria isso o que as impulsiona a distribuir amor? Ou seria o contínuo contato amoroso que as torna mais humanas, generosas e putas?

Giulietta nasceu em Roma, filha de um industrial rigidamente moralista, cheio de princípios. Casado com uma mulher esplendorosa, não sabia, e não podia, equilibrar as aventuras da esposa com as próprias convicções. Preferiu separar-se. Os filhos foram para colégios em outras cidades e ele teve a ilusão de haver conquistado a sua dose de tranqüilidade.

Como atualmente os personagens já não estão aqui, não sinto constrangimento em relatar tudo. Vamos lá. Giulietta sem culpa ou pecado foi tirada do calor da família para passar alguns anos num colégio de freiras. Quando a mãe podia visitá-la, levava-lhe às escondidas meias de seda. O náilon ainda nem tinha sido inventado. A menina virava moça e já revelava uma sensualidade incomum. As freiras obrigavam as internas a usar horríveis meias de lã preta. Para Giulietta, os presentes trazidos pela mãe eram símbolos de liberdade.

Quando enfim deixou o colégio, no início dos anos 40, suas pernas desfilavam por Roma cobertas por lustrosas meias de seda. Os passeios aconteciam sem que o severo pai soubesse. Muitos namoricos depois, apareceu um namoro firme, depois noivado oficial. O rapaz era engenheiro, de boa família, e estava profundamente apaixonado pela beleza inegável de Giulietta. Durante as ausências do noivo (no serviço militar), ela começou a namorar quem a olhasse. Até que perdeu a cabeça por um ator figurante em Cinecittá. "Senza arte ne parte", como diz o ditado, mas tendo como único patrimônio um corpo escultural.

Casar ou não com o engenheiro? Giulietta vendeu os móveis de sua futura casa para reunir o dinheiro que o amante exigia, contraiu dívidas. Complicações, subterfúgios, confusões, trapalhadas. O pai foi informado e ofereceu ao noivo a oportunidade de retirar a palavra empenhada. Mas chegou o dia D do casamento. Juras, promessas, arrependimentos, lágrimas, tules e véus: vestida de branco imaculado, subiu ao altar, enquanto o ator escondia-se atrás de uma coluna da igreja. O marido no serviço militar se mantinha por longas temporadas fora da cidade, enquanto ela o enganava como melhor podia. De repente, o tonto descobriu tudo ao ouvir Giulietta, num quarto da casa, vangloriando-se a uma amiga de suas peripécias extraconjugais. Prantos, suspiros, lágrimas: chegou-se outra vez ao perdão.

A guerra prosseguia. Roma foi ocupada, liberada e retomada pelos americanos. Não vi mais Giulietta. Até que um dia a encontrei, com berrantes cabelos vermelhos, maquiadíssima, casaco de pele de raposa, sandálias e (horror!) sem meias. Ao perceber que fôramos poupadas dos horrores da guerra, nos abraçamos com alegria. Eu gostava dela, apesar dos caminhos divergentes. Admirava sua generosidade, sua espontaneidade e aquela forma de se atirar às emoções. Passeamos a tarde toda. Ela contava e recontava a sua vida. Quando ainda estava casada com o marido militar, aproveitou as ausências dele para namorar todos os homens do prédio. "Me li sono ripassati... tutti", dizia orgulhosa, sorridente, com a voz rouca saindo da boca carnuda.

Então, acredito que intencionalmente, não falamos sobre os alemães, mas sobre os americanos: ela estava namorando um capitão daquela nacionalidade. Tirava da bolsa uma carta, beijava-a com fúria e a manchava de batom. Estranho como adquirira linguagem e gestos quase infantis. Foi nosso último encontro. Ela seguiria depois pela ronda noturna das boates, alternando fortunas.

Até que a fortuna bateu mesmo a sua porta: um joalheiro perdeu a cabeça por ela, ficando seriamente envolvido. Giulietta passou a viver em luxuosos hotéis de Roma, mais tarde em Paris. Teve um filho, reconhecido por esse senhor, e voltou a Roma. Soube também que manteve sua sala do mesmo jeito, bem como os amigos e a vida paralela (claro que ninguém podia segurar essa fera). O joalheiro morreu logo, assim como ela, ainda muito nova.

Sempre digo que cada pessoa deixa seu rastro. O pouco tempo partilhado com Giulietta me revelou o mundo oculto dos romances paralelos, da luxúria, dos ímpetos da paixão — detalhes que perseguem a vida de qualquer um.

Rigatoni com Alcachofras

8 fundos de alcachofra
500 g de rigatoni
200 g de bacon magro em tiras
100 g de ricota
200 g de parmesão ralado
250 g de creme de leite
150 ml de caldo de carne
100 g de manteiga

Numa frigideira, frite o bacon na metade da manteiga. Junte os fundos de alcachofra cortados em fatias finas. Doure rapidamente. Acrescente o caldo de carne e corrija o sal. À parte, misture o queijo ralado e a ricota previamente batida com o creme de leite. Cozinhe os rigatoni, escorra-os e misture ao creme de ricota batida. Acrescente o molho de alcachofras, o restante da manteiga derretida, misture e sirva. Acompanhe com champanhe gelado.

Recchitelle com Alcachofras e Limão

500 g de recchitelle
600 g de fundos de alcachofra

2 colheres de salsa picada

1 talo de salsão

sal

pimenta-do-reino

1/2 limão (suco e um pedaço da casca ralada)

azeite

1 dente de alho

1 cravo

8 folhas de hortelã

2 ramos pequenos de folhas de erva-doce

parmesão ralado

Em frigideira com pouca água (e o mais rapidamente possível), passe os fundos de alcachofra com o suco de limão, pitadas de pimenta-do-reino, o cravo, o dente de alho inteiro, muito azeite, sal, a salsa picada, a raspa do limão e o talo de salsão (a ser retirado depois). Deixe evaporar o excesso de líquido da frigideira em fogo forte. Cozinhe as recchitelle ao dente, condimente com o molho acima, polvilhe com os raminhos de erva-doce e as folhas de hortelã picadas. Acompanhe com mais pimenta-do-reino e parmesão ralado.

Ruote e Salsa di Zafferano, Carciofini e Funghi Secchi

1/2 kg de ruote (massa em forma de rodelinhas)

50 g de funghi secchi

6 fundos de alcachofra frescos (ou em conserva)

1 envelope de açafrão (13 g)

130 g de manteiga

parmesão ralado

sal

papel-alumínio (opcional)

Reidrate os funghi, durante meia hora, em água fria. Cozinhe a massa. Enquanto isso, doure a manteiga e acrescente os fundos de alcachofra cortados em pedaços pequenos. Acrescente os funghi, escorridos e espremidos. Mexa bem. Dissolva o açafrão em 1/2 xícara de água. Tempere com sal. Escorra a massa ao dente e misture-a com todos os ingredientes, mexendo tudo com firmeza. Polvilhe parmesão e ataque.

Outra opção seria cozinhar ao cartoccio: corte quadrados de papel-alumínio de 25 cm x 35 cm (1 por pessoa). No papel, ponha uma porção do macarrão já condimentado e feche os pacotinhos, que serão levados ao forno. Sirva bem quente, sem retirar ou abrir o papel.

Montevidéu, anos 50. Três jovens senhoras, mais seus respectivos maridos, mudam-se, com intervalos de poucos dias, para um moderno edifício em frente ao mar no bairro de Pocitos. Vinham começar vida nova, cada uma em seu apartamento. Os três casais eram ricos, elegantes e felizes. As mulheres, notáveis pela beleza, viviam despreocupadas e isentas de compromissos maiores além de cuidar dos filhos, dos maridos e dos amigos — em privilegiada rotina burguesa. Terminaram todos conhecendo-se e freqüentando-se, inseparáveis até o fim.

Cada uma pretendia impressionar a outra em matéria de realização pessoal, brincando com a própria feminilidade e sensualidade, em jogo sutil para envolver os maridos. Uma era italiana provinciana, ingênua para lidar com os prazeres que seu porte estimulava. A uruguaia, com ares de pantera decidida, fora educada para conseguir um casamento envolvido em muito dinheiro. Brasileira, a terceira, vinha de família de judeus milionários e exibia uma beleza pacata, demonstrando ter sido criada para respeitar valores tradicionais.

Os maridos formavam outro tripé diferenciado. O italiano, católico fervoroso, havia casado virgem — para glória da Igreja, dos familiares e da esposa. Nunca trabalhara, nem projetava fazê-lo, por possuir notável patrimônio herdado. Desenvolvia atividades amenas: contemplava seus lingotes de ouro nos cofres do banco, pintava quadros, fotografava, criava cães de raça. O uruguaio herdara um escritório de advocacia, mais extensas propriedades rurais. Também rico e tendo vivido em vários países, o terceiro marido, de ascendência turca, era o único que trabalhava.

Tanta união, tantos encontros em conjunto, não poderia dar em algo diferente. Como, de fato, deu no que deu. A uruguaia enamorou-se do italiano, talvez atraída pela fama de *latin lover*. Ele, por seu turno, deixou-se seduzir por tamanha ostentação de sensualidade, encantando-se com a idéia de possuir outra que não fosse a própria mulher. Tentava resistir ao jogo, mas ela era danada demais, bailava suas danças espanholas com tanto furor que chegava a mostrar a calcinha vermelha nos passos mais empolgados — escândalo para a época. Chegou ao ponto de esperá-lo na porta do elevador, abrir o visom e exibir o corpo nu. Era mesmo diabólica.

Como resistir não passa de um conceito, aconteceu o esperado. Por outro lado, as brigas com as esposas não conseguiam ser acalmadas nem pelas sucessivas gestações. A italiana viajava para a sua terra sempre que podia, para matar a saudade da mozarela e visitar parentes. E o campo ficava livre, à disposição da amiga. Esse jogo a três (o marido uruguaio nem desconfiava de nada) transformou-se em jogo a quatro. O jovem turco, também atraído pela volúpia da uruguaia e invejoso do sucesso do italiano, quis entrar naquela ciranda sexual. E entrou.

Depois de escândalos, fugas, tragédias e promessas, o casal de italianos voltou à Europa em busca de uma trégua a dois. Enquanto isso a voluptuosa uruguaia sentiu-se abandonada e tratou de vingar-se usando todos os meios a seu alcance. Passou a namorar de amigos nacionais a amigos estrangeiros, chegando ao presidente do Uruguai, que a exibia orgulhoso. Parece não existir coisa melhor do que comer doces proibidos ou roubados. O marido turco, inconformado com o marasmo do seu casamento e com a exagerada perfeição moral da esposa, passou a provar o mel de outras colméias. Experiências atrás de experiências, a dupla mudou de país e depois de *partners*.

Ela segue perfeita até hoje. De volta ao Brasil, fez uma infeliz tentativa, antes de casar-se com um peso pesado do mercado financeiro. Na verdade, essa mulher quase exemplar sempre foi meiga e amiga de todos os que souberam conservar a sua amizade. Para a napolitana, nunca houve muitas complicações. Ciumenta e bobinha, casou-se e juntou-se sonhando realizar seus contos de fada. Acredito que agora esteja no sexto casamento.

Os maridos? O italiano voltou ao Uruguai e mudou de estilo. Saboreou experiências vulcânicas para vingar-se dos anos perdidos na castradora sociedade italiana. Em busca do desconhecido, provou todos os degraus do prazer, do feio ao vil, incorporando feliz a fama de *latin lover*. Quanto aos outros dois, vivem mais ou menos tranqüilos em suas existências monótonas, ladeados por outras esposas bonitas e insípidas.

Torta de Ravioli com Ervilhas

700 g de ravioli de ricota
180 g de manteiga
farinha de rosca
3 ovos
150 g de parmesão ralado
1/5 de litro de leite
1 colher (chá) de açúcar
noz-moscada
300 g de ervilhas frescas
100 g de presunto cru ou bacon defumado
1 cebola pequena ralada
sal

Bata bem os ovos, acrescente o queijo ralado, 100 g de manteiga derretida, o leite, sal a gosto e uma pitada de noz-moscada. Misture bem. Cozinhe o ravioli, escorra, ponha em fôrma de pudim untada e polvilhada com farinha de rosca. Jogue o creme por cima e polvilhe novamente com farinha de rosca. Leve ao forno quente por 30 minutos. Tire da fôrma quando esfriar. No centro, ponha as ervilhas, cozidas (rapidamente e sem tampar) com o restante da manteiga, a cebola, o presunto em tiras, sal e o açúcar.

QUEPES, DECOTES E BIGODES

Argentina do início dos anos 70. Um general estava na presidência. Junto a outra senhora, eu era amiga inseparável da esposa do intendente de Buenos Aires. Formávamos um grupo até afinado. Ela se chamava Haydée e demonstrava interesse por assuntos eruditos, música em particular. O nosso empenho era, vejam só, difundir entre as embaixatrizes as várias facetas das artes e da história argentina. Organizávamos visitas, passeios, almoços, reuniões musicais e viagens — tudo no intuito de propagar o que existe de notável naquele país.

A temporada lírica do Teatro Colón sempre foi importante e gerava enorme expectativa. Cantores, músicos, orquestras de conceito mundial alternavam-se todos os anos. Nunca mais tive a mesma chance de distribuir entre os amigos tantas entradas para óperas ou concertos, já que um certo número de assentos era exclusivo da intendência, ou seja, a prefeitura.

Teatro naquele tempo implicava ritual. Cabeleireiro, traje de noite, jóias, peles; para os homens, smoking. Os atendentes ainda usavam libré! Nas escadas, portas e vestíbulos do teatro grupos reuniam-se para exibir figurinos impecáveis. Demonstravam um tipo de luxo que não voltará mais. Se 1968 foi o ápice das revoluções sociais, os primeiros anos da década de 70 representaram a derradeira ilusão de convivência urbana civilizada. Pode parecer observação fútil, mas será que a futilidade também não traz alento à vida?

Comparecemos a uma apresentação marcante da *Tosca*: todos os cenários e figurinos em tons de bege. O resultado, uma harmonia inesperada e vibrante. Já nas primeiras notas da *ouverture*, a platéia submergia nas ondas da música. Estávamos quase em êxtase quando Haydée ofereceu inesperadas taças de champanhe. Não sei descrever o significado fantástico que adquiriram subitamente as luzes do palco, a escuridão do teatro, as melodias, o champanhe e as taças de cristal. Não, aquilo não era verdadeiro. Encontrei-me defasada pelo menos cem anos no tempo. Ainda sorrio ao lembrar a delicadeza do momento.

É velho costume na Itália terminar os roteiros noturnos com o que chamam *cena* ou *spaghettata di mezzanotte*. Amigos reunidos ao redor da mesa comentam, criticam ou exaltam os espetáculos a que acabaram de assistir. Os *maccheroni* ou os *spaghetti*, qualquer prato simples, são geralmente pretexto para conversa longa. Também naquela noite em Buenos Aires, em casa de Haydée, os convidados — quase todos militares, para desgosto dela, que não suportava fardas — prolongaram a noite de bel canto com delicadas panquecas de caviar e, logicamente, dúzias de garrafas de champanhe gelado. Porém entre tantos quepes, decotes e bigodes, faltava o principal: a atmosfera mágica do Teatro Colón. Que nunca mais se repetiu. E agora que os argentinos estão livres do jugo das forças armadas, sugiro sem culpa a receita servida pela mulher do intendente.

Crepes com Creme Zarevich

crepes (receita abaixo)
1 xícara de creme de leite fresco
2 colheres de cebola ralada
4 gemas
250 g de caviar
3 laranjas
pimenta-do-reino
50 g de manteiga

Bata com ritmo, até ganhar consistência, a xícara de creme de leite. Adicione 6 generosas colheres de caviar, a cebola finamente ralada, mais as 4 gemas de ovos cozidas e esmagadas. Misture bem e reserve na geladeira. Faça pequenos crepes, em formato quadrado. Recheie com o creme preparado, mais outras pequenas porções de caviar, e feche em triângulos. Na hora de servir, regue com molho de laranja (casca ralada da fruta, o suco, a manteiga e pimenta-do-reino). Flambe na mesa.

Receita Básica para Crepe

4 ovos
sal
2 xícaras de farinha de trigo
1/4 de xícara de manteiga
2 1/4 xícaras de leite

Em batedeira elétrica, ponha os ovos e uma boa pitada de sal. Aos poucos acrescente as 2 xícaras de farinha de trigo, alternando com as de leite. Bata até obter consistência suave. Junte a manteiga derretida. Misture bem e deixe descansar na geladeira pelo menos 1 hora. Cozinhe a mistura até o ponto desejado. Dá para mais de 30 crepes.

Penne Veronesi

Para 1 pessoa

1 colher de manteiga
1 colher de alho-poró picado

50 g de brócolis (só as flores)

1 tomate médio (sem pele nem sementes)

1 1/2 concha de Molho Quatro Queijos (receita à página 88)

100 g de penne

sal

parmesão ralado

Derreta a manteiga na frigideira, sem deixar queimar. Acrescente o alho-poró, as flores dos brócolis cozidas e sal a gosto. Frite por alguns minutos e adicione o Molho Quatro Queijos. Só então pique o tomate em cubos (não muito pequenos) e acrescente à panela. Os cubos de tomate devem se manter inteiros. Cozinhe as penne ao dente. Escorra e una ao molho. Sirva com queijo ralado.

CALÇOLAS E CAÇAROLAS

Antes de se casar, Marcella chamava-se Tranquilli — e "tranquillo" significa "tranqüilo", "quieto", "sossegado", "calmo". De tranqüila essa amiga de cabelos tingidos claros não tinha nada: era vivaz, inteligente e romântica. Nascida em família de padeiros de um elegante bairro de Roma, casou-se durante a guerra com o filho do embaixador uruguaio no Vaticano. O que sabia Marcella sobre o Uruguai? Seguramente nem supunha que o país figurasse nos mapas. Nas escolas italianas daquele período a cultura geral limitava-se a demonstrar que Roma fora fundada havia mais de 3 mil anos e que mantinha o direito de dominar novamente o mundo ocidental.

Marcella se viu obrigada, de um momento para o outro, a abandonar uma pátria de camisas pretas para viver num país que adotava o poncho como símbolo. Quando a conheci, ela adorava cavalgar pelas praias desertas e bosques afastados de Montevidéu. Punha botas e poncho preto, e seus cabelos tremulavam ao vento forte dos campos uruguaios. Até que, sem abandonar o poncho, trocou o cavalo por um jipe. Às vezes essa notável figura tomava-se do ardor de Gardel e bailava tangos e milongas com o marido, saindo-se bem até nos movimentos mais difíceis. Os corpos flutuavam em compasso tão perfeito que os dois pareciam fundir-se numa só figura.

Tamanha vivacidade às vezes precisava de certas doses de volubilidade. Um dia, inesperadamente, fui testemunha incômoda de um divertido desencontro conjugal. Visitei-os quando faziam as malas para as férias na Itália. Com roupas jogadas pelo quarto, decidiam o que iria e o que ficaria. Marcella, neurastênica. O marido, complicando mais. Eu me sentia um estorvo perante os dois, que enfiavam compulsivamente coisas na bagagem. De repente, o marido encontrou uma peça de roupa feminina desconhecida para ele. "O que é isto? Nunca vi antes!", exclamou, com uma camisola preta nas mãos. O négligé, bastante sensual, era de voile transparente e tinha rendas. O que significaria aquela indumentária, que programas voluptuosos a peça poderia provocar? Marcella limitou-se a responder, cândida e ingênua: "É uma camisola". Ambos se calaram e pronto.

Devo a Marcella algo além de cenas picantes ou da simpática amizade. Ela me ensinou dois detalhes da maior importância. Primeiro: uma cozinha pode ser mal equipada ou desprovida de qualquer utensílio, mas jamais pode deixar de ter uma panela enorme, capaz de preparar macarrão para uma turma numerosa de amigos. Segundo: nenhuma mulher pode abrir mão de ter pelo menos uma camisola sensual.

Bavette ao Pesto

500 g de bavette
1 maço grande de manjericão
5 dentes de alho grandes (ou mais)
200 g de parmesão ralado
200 g de pinhões (ou nozes sem pele)
30 g de manteiga
1 xícara de azeite
1 colher (chá) de sal
1/2 copo de creme de leite (opcional)
1 colher de manteiga dissolvida (opcional)

Ferva as folhas de manjericão por 1 minuto e pique-as. Fatie os dentes de alho e misture com os pinhões triturados, o queijo ralado, o sal e a manteiga. Leve ao liquidificador, acrescentando o azeite e o mínimo de água, quente, necessária para bater. Condimente as bavette (trenette, em genovês) cozidas ao dente com o composto preparado acima, mais 1 colher de manteiga dissolvida e, se quiser, 1/2 copo de creme de leite.

Fusilli ao Falso Pesto com Castanhas de Caju

500 g de fusilli
azeite
1 1/2 cabeça pequena de alho
2 xícaras de folhas de manjericão
1/3 de maço de brócolis (flores e folhas)
100 g de castanhas de caju moídas
sal

Cozinhe os brócolis no vapor, bem ao dente. Em seguida, frite-os em fogo forte, com 3 dentes de alho descascados (use 2 colheres de azeite e 1 de água). Frite até a água secar. Passe no liquidificador, acrescentando o manjericão, o restante do alho, 1/2 copo de azeite, colheres de água quente (aos poucos) e o sal. Assim que os fusilli estiverem cozidos ao dente, escorra-os, junte 1 ou 2 colheres de azeite e em seguida adicione o molho, mais as castanhas de caju ligeiramente torradas em fogo baixo.

ESCORREGANDO NA MANTEIGA

No início dos anos 30 começaram a aparecer na Itália algumas indústrias alimentícias. Eram, digamos, bastante limitadas — e de estrutura quase artesanal. Cirio fazia extrato de tomate (lembro dos álbuns para pintar que davam de brinde), Buitoni produzia *cappellini* tão finos, mas tão finos, que costumavam prepará-los para os doentes. Quanto ao macarrão de todos os dias, era comprado a quilo nas padarias, embrulhado em papel amarelo, espesso e grosseiro.

As fábricas de chocolate eram mais atuantes: havia os ovos de Páscoa da Talmone e os ótimos Baci da Perugina — primeira empresa a patrocinar um programa de rádio. Esse mesmo programa resultou num álbum de figurinhas, complementado por um concurso que enlouqueceu a Itália inteira. Chegaram a criar bolsas de apostas nos bares e cafés, para distribuir cotações das figurinhas mais difíceis e cotá-las como ações.

Da Ligúria vinha a lata verde do azeite Olio Sasso. Pálido, levíssimo e muito refinado, também era indicado para a dieta de enfermos. Aliás, no terreno dos lipídios e das calorias, a Itália podia ser dividida em três. O Norte adorava a manteiga, a região do Centro privilegiava o azeite, e o Sul misturava azeite, banha e toucinho.

Quanto ao azeite, cada região, ou melhor, cada reentrância geográfica produzia o seu tipo, sempre mais leve ao avançar para o Norte, sempre mais denso ao descer rumo ao Sul. Comprava-se azeite nas vendas de vinho, em lata ou em garrafões de doze litros. Vendedores das aldeias vizinhas de Roma passavam semanalmente pelas casas, oferecendo — além do azeite — ovos, frangos, vinho e presunto. Toda família tinha o seu fornecedor. Quem se habituava ao azeite desses vendedores, notava imediatamente as diferenças de aroma e sabor dos outros tipos. Quando cheguei ao Uruguai nos anos 50, senti a mudança radical: deixara para trás alimentos tratados de forma caseira para entrar no mundo das grandes indústrias que espalhavam seus produtos e enlatados.

De azeite, melhor nem falar. Em vez daquele meu azeite italiano de oliva, absolutamente de oliva, no Uruguai comecei a usar — como em passe de mágica — óleos de qualquer semente possível. Sem tragédias, achei que, não podendo mais me acostumar à alteração de paladar, abandonei óleo ou azeite e passei diretamente à manteiga. Acertei: o Uruguai, país de gado, oferecia ótimos derivados do leite, além da fartura das carnes. Mal dava para acreditar na enormidade dos assados e no exagero dos *pucheros*.

Quando agora volto à Itália, já não tolero o azeite de oliva. Sinto o cheiro forte e o sabor pesado. Chego a ter saudade do óleo de girassol dos mercados daqui. Será que perdi meu prumo de italiana e assumi a bússola sul-americana por completo? Não sei. Mas um provérbio me vem à cabeça: "Paese che vai, usanze che trovi" (Cada lugar, um costume).

E para deixar esta polêmica ainda mais escorregadia, pesquei na gaveta uma receita que substitui a manteiga, o óleo ou o azeite por gordura vegetal.

Farfalle all'uso di Sardegna

500 g de farfalle

gordura vegetal

500 g de abobrinha

farinha de trigo

1 copo de salsa

2 dentes de alho

15 folhas grandes de hortelã

manjericão (poucas folhas)

sal

pimenta-do-reino

1 1/2 copo de vinagre

parmesão ralado

óleo

Corte as abobrinhas em fatias finas e compridas. Passe na farinha de trigo e frite em fogo médio, com gordura vegetal abundante. Deixe até dourar de leve. Coloque-as em papel absorvente. Pique o alho, a salsa e o manjericão em pedaços mínimos, deixando inteiras as folhas de hortelã. Numa terrina, alterne camadas de abobrinhas fritas, alho, os outros temperos e pouquíssimo sal. Por cima de tudo jogue o vinagre fervendo. Tampe e deixe repousar por uma noite. No dia seguinte, cozinhe as farfalle, escorra, acrescente azeite e parmesão ralado. Misture bem. Nesse ponto, acrescente metade das abobrinhas temperadas e mexa. Ponha na travessa, enfeite com a outra metade das abobrinhas. Sirva com pimenta-do-reino moída na hora.

O ATAQUE DO MOLHO ASSASSINO

Notaram como tem gente que atrai respingos de molho nas roupas ou manchas nas toalhas? Eu sou uma dessas pessoas. Comendo ou não, sempre volto para casa com alguma sujeira inexplicável — sobretudo quando o vestido é novo. O mais simples café terá uma gota esperando para cair em cima de mim. A colher de sobremesa, traiçoeira, adora me contemplar com o último pingo do doce caramelado. Carne com molho espesso? Pelo menos três gotas pousam em minha gola branca. Mangas largas geralmente existem para resvalar em terrinas com caldos elaborados ou em coberturas de chantilly. Isso tudo sem contar os vestidos que parecem predestinados: a cada vez que são usados, ganham manchas novas. De preferência nódoas de alguma fruta sazonal, bem difíceis de sair.

Certas cores atraem manchas, talvez por algum pacto com as forças ocultas. Lembro-me de um lindo vestido em seda verde-esmeralda, que estreei no teatro de Óstia Antiga. Era verão e levavam uma comédia de Plauto. Eu usava sandálias de couro branco inspiradas nos calçados romanos. Sentia-me elegante, acabara de me casar, o que queria mais? Depois da peça, ao voltar para casa, descobri horrorizada que o meu maravilhoso vestido verde-esmeralda (de seda!) estava completamente maculado. Na frente, as manchas eram bem visíveis. Atrás, uma série de riscos formados pela tinta das grades do teatro. Quase morri de raiva. Hoje sou conformada com essa minha sina. Quem sabe inventei uma nova modalidade de estampa psicodélica — inteiramente criada à base de respingos de comidas atrevidas.

Faça o seguinte teste: compre uma roupa (de preferência clara e cara) e sente-se à mesa de um alegre jantar. Pode ser que você consiga a proeza de escapar ileso a qualquer gotícula de molho. Mas repare com atenção naquele pontinho na bainha. Claro que será uma mancha bem complicada, aumentando a cada tentativa de remoção.

A propósito: mancha de vinho tinto na toalha de mesa poderá ser combatida se recoberta com sal fino assim que o vinho cair. Ah, e as receitas que seguem prometem muitos respingos em roupas novas.

Pasta di Punta

500 g de tagliatelle
6 tomates sem pele
1 lata de extrato de tomate
4 alhos-porós grandes (só a parte branca)
3 cebolas grandes
1 folha de louro
4 cravos
1 copo de salsa picada
sal
1 colher de açúcar
4 dentes de alho
4 pimentas dedo-de-moça
1 copo de azeite
150 g de manteiga
parmesão ralado

Fatie finamente os alhos-porós e doure-os em pouco azeite. Reserve. Corte os tomates em cubos, divida as cebolas em quartos e ponha em panela com 60 g de manteiga e 1/2 copo de azeite. Una-os aos cravos, à salsa e ao louro. Adicione o açúcar e mexa por 4 minutos. Na metade desse tempo, ponha mais 60 g de manteiga e o azeite restante. Depois de 10 minutos, misture o extrato de tomate. Espere cinco minutos e junte sal e os alhos-porós reservados. Deixe mais 5 minutos, apague o fogo e reserve. À parte, frite por 3 minutos os dentes de alho fatiados e as pimentas (picadas e sem sementes) em 10 g de manteiga. Reserve para servir à mesa, com o parmesão ralado. Cozinhe as tagliatelle ao dente. Escorra-as bem e espalhe imediatamente a manteiga restante. Em seguida, tempere com quantidades generosas do molho preparado.

NIDI DI SPAGHETTINI

200 g de recchitelle
300 g de spaghettini
200 g de manteiga
parmesão ralado
1 copo de molho de tomate
1/3 de copo de leite
noz-moscada
1/4 de litro de creme de leite
100 g de ricota de primeira
40 folhas de hortelã
farinha de rosca
150 g de queijo prato
sal

Bata no liquidificador o creme de leite, a ricota, o leite, a hortelã e o sal. Reserve. Cozinhe ao dente as recchitelle, escorra e condimente com muito parmesão ralado, mesclado a pitadas de noz-moscada moída. Acrescente depois o molho de tomate, um pouco de manteiga e reserve. Cozinhe ao dente os spaghettini e tempere com manteiga. Acomode-os num pirex untado, dando-lhes a forma de ninhos e deixando um miolo vazio no centro. Polvilhe esses centros com um pouco de farinha de rosca, forre-os com fatias finas de queijo prato e recheie com as recchitelle reservadas. Leve ao forno até que dourem e endureçam. Ao servir, use uma espátula para que os ninhos não se desmanchem e despeje sobre cada um o creme de hortelã liquidificado.

Molho Bolonhês Tradicional

1 kg de carne (patinho) bem moída
700 g de cebola
100 g de bacon magro defumado
30 g de funghi secchi
1/2 litro de azeite
8 cenouras médias
1 kg de tomate
150 g de extrato de tomate
350 g de purê de tomate
200 g de manteiga
6 cravos
1 pimenta dedo-de-moça (sem sementes)
uma ponta de colher (chá) de noz-moscada ralada
8 folhas de louro
1 1/2 copo de vinho tinto seco
2 colheres de açúcar
sal
9 grãos de pimenta-do-reino
algumas pitadas de pimenta-do-reino moída
1 talo grande de salsão

1/2 copo de salsa picada

1 ramo de manjericão

Aviso aos navegantes: Exige 5 horas de fogão!

Rale a cebola, as cenouras e pique o salsão. Ponha numa boa panela com pouco azeite. Acrescente os cravos, a pimenta dedo-de-moça, a noz-moscada, a pimenta-do-reino (em grãos e em pó), o louro e o bacon picado. Cozinhe, em fogo médio e adicionando pouca água, até que a cebola fique transparente. Esse composto inicial não pode ficar seco, nem grudar na panela. Junte a carne moída, um copo de azeite e mexa para tudo se incorporar. Junte os funghi (previamente reidratados), o restante do óleo, o extrato e o purê de tomate, o açúcar e o vinho. Mexa bastante, em fogo alto, até levantar fervura. Despeje aos poucos algumas colheres de água, para que o molho cozinhe com o mínimo de líquido e jamais grude no fundo. Mexa com freqüência. Por último, ponha os tomates sem pele e em cubos, o ramo de manjericão, a salsa picada, sal, a manteiga e deixe cozinhar por mais 15 minutos. Ao perceber que o molho adquiriu a consistência líquida certa, retire do fogo. Descarte o louro e os cravos.

Observação: Pelo tempo consumido na preparação, o ideal seria dobrar a quantidade de ingredientes e, depois de pronto, armazenar o molho no freezer para utilizá-lo mais de uma vez.

OS LOUROS DO BARDI

Embora os poetas da Antiguidade tivessem o privilégio de ser coroados com folhas naturais de louro, tal honra era geralmente reservada aos generais vitoriosos nas guerras. Aliás, as coroas podiam ser também de flores. Bem mais tarde, nos primeiros séculos deste milênio, a mesma tradição foi retomada em Roma e o Campidoglio serviu de cenário para esse civilizado costume.

Pulando algumas páginas na história e outras tantas na geografia, quem em São Paulo desconhece Pietro Maria Bardi? Esse senhor — sábio por natureza e idade — sempre foi tão complexo, completo e singular que se tornaria difícil traduzi-lo sem adulterar sua imagem. Homem de conhecimentos copiosos, culto, apreciador das artes (seja dos encantos das mulheres, seja de uma receita culinária bem-feita), é um personagem por quem tenho enorme carinho. Ele foi várias vezes comer em minha casa, distinguindo-se em cada ocasião por um inesgotável apetite à mesa.

Numa das últimas sessões, criei uns *cappelletti* em sua homenagem. Resolvi, então, premiar com uma coroa de louros o fascinante amigo — na verdade, um poeta pela forma de viver. A receita inventada tem as folhas de louro como elemento principal. Chamei-a de Os Louros do Bardi. Antes de começarmos o almoço naquele dia, ele foi solenemente coroado. Sobre sua cabeça resplandeceu, durante toda a refeição, a condecoração verdejante.

Ao término do encontro, ele voltou caminhando — pontual como sempre — a seu trabalho no Masp. Só que não quis retirar, de jeito nenhum, os louros da cabeça. Seguiu "loureado" pelas ruas e continuou assim no museu a tarde inteira. Aos incrédulos visitantes que indagavam o motivo do adereço, Pietro Maria Bardi respondia: "Esta coroa é a única coisa que possuo na vida".

Cappelletti de Frango com Louro

1 kg de cappelletti de frango
240 g de manteiga preta (receita abaixo)
2 copos de creme de leite (sem bater)
40 g de pimenta-do-reino (em grãos)
60 folhas de louro
algumas folhas de hortelã
1 abacate não muito maduro
suco de limão
sal
parmesão ralado

Cozinhe bem os cappelletti em pouca água, com os grãos de pimenta e as folhas de louro. Escorra, mantendo junto o louro e a pimenta. Misture tudo à manteiga preta e ao creme de leite já temperado com sal. Acomode em travessa, arrumando por cima folhas de hortelã e bolinhas de abacate (preparadas antes e passadas em suco de limão para se manterem verdes). Parmesão servido à parte.

Manteiga Preta

Ponha 100 g de manteiga (para cada 250 g de massa) em uma frigideira de tamanho médio e com espessura razoável. Coloque apenas metade da superfície da frigideira sobre o fogo, sempre médio. Deixe a manteiga derreter por completo, mexendo de vez em quando com uma colher de pau. Depois de aproximadamente 15 minutos, quando o líquido adquirir um tom amarronzado e uniforme, o molho estará pronto para ser usado.

EMBAIXADA DA ARRUDA

Era uma festa em que os participantes teriam que usar adornos de cabeça inspirados em pintores famosos. Como não dava tempo de inventar grande coisa, construí um castelo de cartas apoiado em chapéu de estilo medieval. Juro que ficou interessante. O melhor é que fiz isso em homenagem ao pintor que teria inventado o baralho! Nunca se soube quem desenhou cada um dos quatro naipes, mas com certeza deve ter sido alguém, não? Mãos à ficção: escolhi um nome, uma cidade e uma data de nascimento na Baixa Idade Média. E tudo parecia real. Pena ter perdido o papel onde escrevi os dados do suposto artista.

Além do baralho na cabeça, usei uma roupa verde-bandeira inspirada em mesas de jogo. A mise-en-scène se completava com um enorme maço de arruda que eu segurava entre os braços. Com essa brincadeira iniciei a minha missão de distribuir arruda. Naquela noite presenteei todos os convidados com a planta. Eram centenas de pessoas, que agradeciam com sorrisos. Só três ou quatro se recusaram a aceitar, dizendo não precisar de proteção. Gostaria de reencontrar agora aqueles que garantiram ter confiança absoluta no próprio destino.

As pessoas diziam que a *minha* arruda trazia sorte. Quadros eram vendidos em vernissages, negócios se encaminhavam melhor, objetos perdidos eram encontrados. Na seqüência dos anos, nunca mais saí de casa sem alguns raminhos. O nosso apartamento cheirava a arruda por todos os cantos e consegui fornecedores para renovar o estoque semanal. Quem me visitava tinha direito a um ramo. Quando chegava aos lugares, um susto: exigiam arruda. Virou quase tradição. Sem saber, difundi uma antiga forma de proteção nos salões de São Paulo. Depois encontrei essa planta adorável em arranjos florais de festas, inaugurações de lojas e aberturas de exposições. Percebi em pouco tempo o alcance da mania quando fui certa vez ao Ceasa às cinco horas da manhã e todas as mudas tinham sido vendidas.

Mas cuidado. A arruda deve ser oferecida apenas como presente e com prazer duplo: o de quem oferece e o de quem recebe. Quem pretende espantar os malefícios provocados pela inveja, pode tomar um banho preparado em dois litros de água quente, onde se juntarão três ramos de arruda, guiné e alecrim, mais um punhado de sal grosso, dez gotas de perfumes de flores e alguns cravos (ou jasmins). Depois do banho, os maus fluidos somem pelo ralo.

Agora, que tal experimentar uma inacreditável receita de massa com toques de arruda?

Struccolo

300 g de farinha de trigo

5 ovos

600 g de espinafre (pesados depois do cozimento)

200 g de ricota

200 g de queijo parmesão ralado fino

200 g de manteiga

sal

pimenta-do-reino

noz-moscada

3 ou 4 ramos de folhas de arruda

Prepare a massa com 3 ovos, farinha de trigo e pouca água. Afervente o espinafre picado. À água utilizada, adicione um pouco de manteiga, sal e pitadas de noz-moscada. Misture o espinafre e a água temperada à ricota, aos

2 ovos restantes e ao queijo ralado. Estique a massa e recheie com esse composto de espinafre, deixando uma borda de 2 cm ao redor para enrolar. Junte as extremidades. Ponha num guardanapo, fechando as 4 extremidades. Cozinhe em água fervendo por aproximadamente 1 hora. Retire. Corte em fatias grossas, dispostas numa travessa uma ao lado da outra, em forma de anel. Salpique com mais queijo e o restante da manteiga derretida. Moa pimenta-do-reino por cima. Sirva quentíssimo.

E a arruda? Na água do cozimento final do Struccolo, jogue nos últimos 15 minutos os 3 ou 4 raminhos com folhas tenras de arruda. Ferva por 5 minutos e retire-os.

RABISCOS DE GASTRONOMIA

Cada país tem seu livro de cozinha clássico. Esses livros em geral surgem porque bons cozinheiros ou simples donas de casa rascunharam receitas à beira do fogão — que passam a refletir cozinhas nacionais. O caderno sujo de manteiga, que mais tarde virou livro, torna-se um tipo de oráculo da cozinha. Na Argentina, dona Petrona. No Brasil, dona Benta. A Itália teve o memorável *La scienza in cucina, o L'arte di mangiar bene*, de Pellegrino Artusi. A despeito do estilo enfático e antiquado, o volume dominou, e ainda domina, grande parte das cozinhas peninsulares desde o fim do século passado. Depois dele, surge outro clássico: *Talismã da felicidade*, de Ada Boni. Agora são milhares os livros de culinária nas prateleiras.

Nunca pretendi competir com minha mãe na cozinha, nem sequer imitá-la. Olhava-a enquanto batia bolos e massas, ou fazia biscoitos, bombas e outras guloseimas para degustação familiar. Divertia-me ao ver as massas tomando forma, consistência, cheiro e sabor. Mas bom mesmo era comer tudo aquilo. E adivinhem quem sempre estava perto do fogão? O livro de Artusi, que vigiava, instruía e dirigia as operações da cozinha.

Era num caderno caprichado que ela guardava receitas anotadas anos a fio. Então chegou a Segunda Guerra. Faltava gás, cozinhava-se com carvão. Uma empregada, no intuito de facilitar suas tarefas, utilizou as folhas do precioso caderno para alimentar o fogo. Quando descobrimos era tarde demais. Sobraram poucas páginas. Lentamente, o caderno foi reconstituído: algumas receitas sumiram para sempre, outras perderam a exatidão dos originais. O episódio me deixou traumatizada. Desde então mantive minhas anotações longe de eventuais piromaníacas.

Mais um comentário sobre os livros: se as donas de casa e os cozinheiros preparam pratos a partir de textos acessíveis a todos, como chegam a resultados finais tão diferenciados? Distintos não só na apresentação, mas até mesmo antagônicos em aroma e sabor. Isso acontece graças ao dom de cada um de imprimir seu estilo pessoal — e inconfundível — na cozinha. Tome-se o exemplo da massa mais simples: Spaghetti ao Tomate. Encontrada em qualquer mesa, varia no visual, no cheiro, na firmeza. Ainda bem que resta a missão comum de estimular o grande prazer que é comer.

Pasticcio di Maccheroni

- 1 1/2 dose da receita de massa frolla (receita seguinte)
- molho bolonhês (receita à página 128)
- 1/2 kg de rigatoni
- 170 g de parmesão ralado
- 1 colher de azeite
- 2 gemas

Prepare a massa frolla. Divida em 2 partes. Estique-as com rolo até atingir 7 mm de espessura. Unte e enfarinhe uma fôrma de anel (25 cm a 28 cm de diâmetro e 10 cm de altura). Forre a fôrma completamente com a metade da massa frolla, utilizando um garfo para fazer furos. Cozinhe os rigatoni ao dente. Escorra, condimente com a colher de azeite e o queijo ralado. Depois, adicione bastante molho bolonhês. Encha a fôrma com os rigatoni. Cubra com a outra metade da massa esticada, dobrando a borda ao redor até formar um cordão. Aperte as bordas com o lado cego de uma faca, cuidando para que as 2 partes da massa se grudem e o recheio fique bem coberto. Na parte superior, faça furos com garfo. Pincele com as gemas. Enfeite com tiras de massa de 1,5 cm de largura dispostas em xadrez. Pincele também as tiras. Enfeite com uma flor de massa. Leve ao forno moderado por 40 minutos. Desenforme apenas quando esfriar.

MASSA FROLLA

500 g de farinha de trigo
20 g de açúcar
15 g de sal
350 a 400 g de manteiga
2 ovos
2 a 3 colheres de leite

Faça um poço no meio da farinha. Ponha o açúcar e o sal nas bordas do poço; no centro, a manteiga e os ovos. Trabalhe a massa o menor tempo possível. Não pode ficar elástica, e poderá apresentar pedacinhos de manteiga não dissolvidos. Incorpore o leite aos poucos, de leve. Faça uma bola, envolva-a num pano e guarde na geladeira por no mínimo uma hora. Abra então com o rolo, até obter a espessura desejada. Unte uma fôrma de aro, enfarinhe e forre com a massa. Com um garfo, faça uns furinhos no fundo e asse em forno quente. A massa crua pode ser conservada na geladeira por vários dias.

FORMINHAS DE PASTA E BISI

massa de ricota e manteiga (receita seguinte)
200 g de recchitelle
75 g de presunto cru ou bacon

manteiga

algumas pitadas de noz-moscada

1 colher (café) de sementes de alcarávia

sal

pimenta-do-reino

1 colher (chá) de açúcar

1/2 kg de ervilhas frescas

2 colheres cheias de salsa picada

1 concha de uvas passas

2 alhos-porós pequenos (só a parte branca)

parmesão ralado

Em fogo forte e pouquíssima água, cozinhe as ervilhas, o açúcar, 1 colher de manteiga, o presunto em tirinhas, os alhos-porós fatiados finíssimos, as uvas passas, pimenta-do-reino, noz-moscada e a alcarávia. Antes de retirar do fogo, ponha o sal e a salsa. À parte, cozinhe as recchitelle ao dente. Reserve. Com a massa à base de ricota, prepare forminhas utilizando moldes de 8 cm de diâmetro, enchendo-as com o molho de ervilhas misturado às recchitelle (previamente misturadas com queijo e manteiga). Em cima das forminhas, coloque mais um pouco de manteiga derretida e parmesão. Leve ao forno médio por cerca de 20 minutos.

Massa de Ricota e Manteiga

500 g de ricota

500 g de manteiga

750 g de farinha de trigo

leite (se necessário)

Trabalhe a ricota com um garfo. Se estiver muito compacta, adicione algumas colheres de leite morno. Junte a manteiga e mexa com colher de pau para incorporá-la bem. Adicione a farinha de trigo. Misture até surgir uma massa homogênea. Faça então uma grande bola com a massa resultante e envolva-a em um pano de prato. Deixe na geladeira por um dia.

GALINHA QUE NÃO BICA, JÁ BICOU

Adoro um conto de Aldous Huxley, chamado "Chrome yellow", em que relata a história de uma moça inglesa do século XIX, dona de estilo complicado. A personagem vivia sem comer: uma azeitona a deixava enferma, não suportava um biscoito, um cubo de açúcar, uma colherinha de chá. A pobrezinha era pálida, branca, e estava sempre desmaiando ou ameaçando desmaiar. Na pele transparente das mãos e dos braços apareciam veias azuis, denunciando seu estado de fraqueza.

O pretendente a noivo dessa menina, confuso por esse exagero de romantismo, suportava a relação na base da espiritualidade, embora aflito e desnorteado. Até que certa feita, numa festa, não vendo mais a amada, saiu a procurá-la. Durante a busca, descobriu uma porta secreta que dava para uma escada. No final, uma pequena sala misteriosa. Surgiu então a moça, a amada relutante, aquela que desmaiava e dizia não às comidas e às suas investidas amorosas. Lá estava ela — não mais anoréxica, nem tão fragilizada —, enfrentando uma boa pasta, um pastel doce e outros pratos diversos. Sem respeito à etiqueta, a rapariga empunhava uma coxa de frango destroçada pelas muitas mordidas. Após a descoberta, o namorado venceu a resistência dela e os dois se casaram. A moça encerrou na gaveta o seu sonho de romantismo e jejum.

Para ajudar na visualização da época, transcrevo o que acontecia cem anos atrás, segundo alguns relatos de historiadores londrinos. Nas mesas, o refinamento era tanto que os pratos chegavam completamente disfarçados. Excluíam-se todos os alimentos usados pela plebe: frutas e verduras não podiam ser da estação, nem os pescados de medida usual. As carnes nunca teriam preços normais e, quando servidas, chegavam cobertas ou modificadas por tantas especiarias que adquiriam sabores dissimulados. O cheiro do alho e da cebola poderia causar desmaio nas damas. As perdizes eram consideradas pesadas para o estômago, as massas engrossariam o sangue, o leite prejudicaria o pâncreas, as especiarias inflamariam a garganta, as verduras provocariam urticárias, as ostras inibiriam o apetite, e duas gotas de vinho fariam subir vapores à cabeça. Com fome, ou sem fome, os senhores, e ainda mais as damas, chafurdavam na comédia do apetite escasso, dos pratos pouco cozidos ou cozidos demais, com excesso de especiarias, apimentados, salgados, doces, amargos, azedos, quentes, frios, duros ou moles. Os defeitos inventados eram todos os possíveis, demonstrando deformações na procura do paladar ideal. Seria o caso daquela jovem noiva, que jejuava para bancar a romântica.

Ainda hoje sobram manias e bizarrices gastronômicas. Conheço alguns que comem somente na rua, com enorme prazer. Qualquer petisco é primoroso, desde que não seja produzido na casa deles. Outros seguem com férrea vontade uma dieta infalível, para depois comer escondido à noite, em compensação às carências calóricas do dia. Conheço bem de perto uma tal de Maria de Fátima — minha adorável assistente — que, sob um ou outro pretexto, nunca provou os meus macarrões. Um dia descobri uma receita sua de nhoque que ela comia secretamente. A sabedoria dos ditados é milenar, e na Itália se diz: "Gallina che non becca, ha gia beccato!" (Galinha que não bica, já bicou!). Vamos comer escondidos o seu Gnocchi al Parmigiano? A receita de Maria de Fátima Andrade lhe foi passada por uma tia, que por sua vez a herdou de uma avó, considerada ótima no fogão.

Gnocchi al Parmigiano

250 g de manteiga
250 g de farinha de trigo

2 ovos inteiros

2 gemas

sal

pimenta-do-reino

noz-moscada

Para o molho:

50 g de parmesão ralado

50 g de queijo Emmental

50 g de manteiga derretida

Trabalhe bem a manteiga com colher de pau até virar um creme, acrescente um pouquinho de sal, pimenta-do-reino e noz-moscada. Depois os ovos e as gemas, batidos juntos. Siga misturando bem. Adicione aos poucos a farinha de trigo peneirada. Trabalhe até que a mistura fique homogênea. Ferva à parte uma panela com água salgada e, com o auxílio de uma colher, jogue na água pequenas porções da massa. Quando começarem a boiar, retire e disponha em pirex untado. Repita a operação até terminar toda a massa. Então cubra com bastante parmesão e Emmental, mais a manteiga derretida. Leve ao forno preaquecido, deixe por 10 minutos e sirva.

COZINHEIRA 007

Antigamente as mulheres nutriam ciúme das próprias receitas e não as revelavam. Conheci senhoras que criavam mistério sobre ingredientes de bolos quase inexpressivos. Deviam achar que a gororoba só poderia ser provada na mesa delas. Ninguém teria o direito de brilhar por quitutes alheios. Ora, por que trancar receitas?

Às vezes, pratos de herança passam a ser comercializados pela própria família. Um exemplo é o Torrone Nurzia, na Itália. Ao morrer o proprietário da pequena indústria familiar, seus dois irmãos voaram para cima da receita. Cada um vendia o mesmíssimo *torrone*, que foi modificado até o sabor original se tornar irreconhecível. Em Pernambuco também houve um bolo famoso, à base de mandioca e coco, clássico da família Souza Leão. Hoje existe no mínimo uma dúzia de variantes da receita.

Uma amiga, boa cozinheira, teve uma sogra mais que perfeita na cozinha. Talvez por se julgar perfeita, jamais divulgou suas receitas. Por amor ao filho, passou algumas anotações à nora para que esta produzisse jantares capazes de enaltecer o marido perante os convidados. A orgulhosa senhora nem poderia imaginar que as receitas eram generosamente cedidas às amigas da nora. Fui uma das beneficiadas, e como elas copiei correndo os molhos secretos de dona Letizia.

Outras pessoas, sem coragem de se negar a revelar a fórmula de um prato, acabam fazendo-o, muito a contragosto. Há também os que dão receitas erradas. Trocam ingredientes, omitem outros, aumentam doses, mudam o tempo de cozimento. O tiro pode até sair pela culatra e o resultado ficar melhor do que o original. Bem feito.

A caseira do meu sítio na Argentina esmerava-se em preparar bolos, tortas e doces. Cozinheira de mão-cheia, ela criou momentos incômodos para mim perante os amigos. Quando me perguntavam o que estavam comendo, eu respondia: "Não sei". Alguém acreditava? A caseira simplesmente trancafiava sua sabedoria culinária. Jamais consegui arrancar-lhe uma receita. A maldita disfarçava, saía da sala, mostrava-se ocupada ou começava a contar e não acabava.

Revoltada, pedi ajuda à secretária de meu marido para roubar pelo menos uma daquelas receitas. Uma tarde, quando a mulher preparava suas comidas misteriosas, ficamos espionando sorrateiras os procedimentos, item por item, pela janela da cozinha. Vitória! Conquistamos receitas. Que, por (doce) vingança, aqui estão à disposição de todos.

Tortellini de Abóbora e Amêndoas

200 g de farinha de trigo
2 ovos
200 g de abóbora
30 g de amaretti
30 g de mostarda
30 g de amêndoas picadas
30 g de parmesão ralado
sal
manteiga

Amasse 200 g de farinha de trigo com 2 ovos. Passe o rolo. Corte em quadrados de 10 cm, cubra com pano úmido. Descasque a abóbora. Cozinhe em pouca água. Escorra e peneire. Junte os amaretti picados, a mostarda, as amêndoas picadas, o queijo ralado e sal. Misture tudo. Deixe descansando por 2 horas. Ponha um pouco do recheio nos quadrados. Feche-os. Cozinhe em água e sal. Escorra, lambuze de manteiga derretida, amêndoas picadas e queijo ralado.

DONA MÍDIA NÃO TOMA LIMONADA

A grande senhora da nossa época é a mídia. Com enorme sutileza, seduz a todos por meio de imagens. Harmoniosas vozes celestiais acompanham seus mandamentos. Músicas envolventes grudam-se nos ouvidos.

Aprendemos que Omo cria o branco mais branco — com certeza, Deus, ao inventar a cor branca, guiou-se pelo tom do Omo. Lux, o sabonete das estrelas, transforma a pele na mais sedosa do universo. O tomate não existiria fora dos concentrados da Cica. E como as donas de casa podem se livrar de pilhas de vasilhames gordurosos sem o auxílio do Odd e de seu porta-voz, Carlos Moreno? E as crianças, como poderiam elas vencer a obstrução nasal sem Vick Vaporub? Ou caminhar sem sapatinhos Grendene, de plástico, tão atraentes? A mídia embala bolachas com figurinhas em relevo, faz jorrar iogurtes de novecentos sabores e refaz o vidro do Toddy. E é do Toddy que quero falar.

A menina Andréa me visitou — Andréa é muito bonita, tem três anos, vive com a mãe e passa os finais de semana com o pai. Com essa idade, já luta caratê. Gosta de gatos e movimenta-se sem temor nas casas alheias. Nada tímida, enfrenta os grandes de igual para igual, sem aquele respeito absurdo que a diferença de idade criava em outros tempos.

Depois de ela fuçar rapidamente o ambiente, tentar conquistar — em vão — a distante gatinha Pippa e fazer uma rápida exibição de caratê, a nossa ajudante Maria ofereceu-lhe bolachas. Sem recheio. Ah! Então aquelas bolachas não vinham recheadas com creme rosa-schocking, que simula sabor de morango? Bolachas sem recheio deixam de ser bolachas. E leite com chocolate não é Toddy. A caixinha de Toddy traz figuras e tem canudinho. O que seria aquilo estranho que ela viu, feito com leite e chocolate? Andréa não falou nada, não reclamou de nada. Olhou. Nem comeu nem provou. Com o maior dos desprezos, ignorou o lanche sem griffe.

Deixo aqui meu conselho: quem passou dos cinqüenta, só deve receber crianças quando tiver o armário lotado de marcas vibrantes divulgadas pela TV. Crianças modernas odeiam doce de abóbora, bolacha sem corante ou leite batido com chocolate. Limonada, nem pensar. Que pena.

Pêssego em Calda com Creme de Chocolate

Para rechear os pêssegos, moa figos secos, tâmaras, uvas passas sem sementes, castanhas-do-pará, avelãs e algumas ameixas secas. Misture com mel. Faça bolas do tamanho do caroço dos pêssegos e coloque no seu lugar. Acomode 2 pêssegos (já recheados) em pratos individuais. Faça um creme com barras de chocolate derretidas em fogo baixo, misturadas a um pouco de leite. Quando o chocolate estiver reduzido a um creme, cubra os pêssegos com ele e salpique as castanhas-do-pará moídas por cima. Deixe na geladeira, sirva frio. Como opção, acompanhe com um pouco de creme de leite batido.

UNIDOS DA COUVE-FLOR

Quem compra bilhetes de loteria tem a vaga esperança de ganhar. Não ganhei nunca. Nada. Sonhei diversas vezes com números maravilhosos e joguei na Loto acreditando que seriam sorteados. Todos os palpites foram furados, o mesmo acontecendo nos bingos ou jogos de cartas. Creio que quando nasci os astros deveriam estar em posição absolutamente definitiva e sem retorno nesse aspecto. Teria, ai de mim, destino fechado e contrário. Isso me fez desistir por longo tempo de participar de torneios de qualquer envergadura.

Um belo dia, porém, inscrevi-me num concurso culinário da Nestlé. Concorriam, soube depois, cerca de 300 mil receitas. Consegui chegar aos finalistas com a minha massa com creme de couve-flor. Não ganhei o primeiro posto a que tanto aspirava, mas fiquei em terceiro lugar. O prêmio: uma lavadora de louça. Coisa que eu não precisava e nem tinha onde pôr. Um estorvo. Fora um carrinho com montes de produtos de chocolate — escandaloso atentado ao meu nível de colesterol, à minha pele e à minha silhueta já imponente. Desilusão, esses presentes recebidos na minha primeira "vitória".

Os prêmios sumiram. Mas, para deleite dos entusiastas da couve-flor, segue a receita simpática — e campeã de elogios em meus jantares.

Penne ao Forno com Creme de Couve-Flor

600 g de penne
1 couve-flor grande
100 g de raiz de gengibre
4 dentes de alho
150 g de manteiga
1 copo de leite
300 g de creme de leite
farinha de rosca
sal
azeite
1 gema
parmesão ralado

Separe os ramos da couve-flor, deixando os talos pequenos, reserve e ferva, em pouca água com sal, até a metade do cozimento. Escorra, reserve cerca de 10 ramos pequenos (servirão de enfeite no final) e guarde a água do cozimento. Com pouco azeite, doure em frigideira grande os dentes de alho picados, acrescentando na seqüência 1/2 copo de leite, 60 g de manteiga, o gengibre ralado e a couve-flor semicozida. Em fogo médio, esmague tudo com o auxílio de colher de pau. Mexa sem parar. Acrescente a outra parte do leite e complete o cozimento até que os líquidos sejam absorvidos quase totalmente. Apague o fogo e passe tudo no liquidificador, usando parte da água do cozimento inicial. Reserve.

Cozinhe as penne por 5 minutos, em água abundante e sal. Logo ao escorrer, separe cerca de 100 g das penne. O restante da massa deve ser misturado a 60 g de manteiga e muitíssimo parmesão ralado. Adicione, então, o creme de leite, previamente diluído em 2 colheres da água do cozimento inicial e 2/3 da couve-flor liquidificada. Misture tudo com delicadeza.

Unte bem um pirex e arrume a massa aos poucos. Recubra tudo com o restante do creme liquidificado, salpique mais parmesão. Depois, termine com uma camada finíssima de farinha de rosca e alguns pedacinhos de manteiga.

No meio da superfície da massa arrumada no pirex, deposite os 10 ramos pequenos de couve-flor reservados no início e tente imitar o centro de uma flor. Faça ligeira pressão para fixá-los. Não deixe que fiquem mais altos do que as bordas do recipiente. Para formar as pétalas (ou outro desenho), utilize os 100 g de penne reservados. Arrume-as com cuidado sobre a massa. Ao finalizar, pincele os 10 ramos da couve-flor com a gema. Com outro pincel, lambuze de óleo as pétalas de penne. Leve ao forno quentíssimo por cerca de 8 ou 9 minutos (a superfície precisa ficar bem dourada e semicrocante). Sirva fumegando.

MENDIGO COM CHANTILLY

Num domingo como tantos outros, fui à feira comprar frutas. Como a época dos morangos estava no final, encontrei apenas frutas não muito bonitas. Maduras, fáceis de esmagar. Comprei duas caixinhas e segurava uma em cada mão, com os braços levantados para protegê-las, quando percebi a aproximação de um mendigo gigante, que se inclinava feito arco sobre mim e sobre meus morangos!

Confesso, constrangida, que tenho problemas em lidar com coisas sujas. O asco, mais forte do que qualquer atitude racional, impede-me até de pensar. Ainda bem que fiz análise e já superei o trauma. Imaginem como fiquei aflita durante o contato inesperado com o pobre homem, gigantesco e imundo. Não era muito velho, e calculei que tivesse sido belo na juventude. Além disso, emanava certa distinção. Mas era sujo. Olhei-o nos olhos. Foi quando o gigante bradou: "Com chantilly! Com chantilly!". Fugi em pânico. Até hoje sinto remorso por não haver doado uma das caixas de morangos àquele mendigo. Ou, quem sabe, algum dinheiro para que ele pudesse comprar o seu tão necessário chantilly.

Fettuccine com Pimentão e Azeitonas

600 g de fettuccine
1 copo de leite
6 pimentões vermelhos grandes
70 g de ricota
2 colheres de salsa picada
3 dentes de alho cru
manteiga
2 colheres de azeitonas verdes picadas
queijo parmesão ralado
sal

Leve (por pouco tempo) 3 pimentões ao forno para soltar a pele. Corte-os em tirinhas. No liquidificador, bata o copo de leite com os outros 3 pimentões, já cozidos anteriormente, 50 g de ricota e sal. Se necessário, acrescente um pouco de água. Cozinhe as fettuccine ao dente, condimente com manteiga e com o composto do liquidificador. Ponha numa travessa, salpicando a salsa picada e os pimentões em tiras. Por cima de tudo, espalhe o alho cru cortado fino e o restante da ricota. Sirva acompanhado de queijo ralado e das azeitonas.

VÍCIO MACARRÔNICO

Num dos módulos de tempo da minha vida, houve o período em que Aldo Federico queria só macarrão. Chegava a comer massa quatro vezes por dia. Bastava acordar, abrir a geladeira, descobrir um resto do dia anterior, e pronto: engolia aquilo frio mesmo. Requentado, só se no momento houvesse alguém para levar a panela ao fogo. Às duas da tarde, ao voltar do escritório, almoçava algum tipo de pasta recém-preparada. Sobrava algo? Punha de volta na geladeira, para comer mais tarde, à hora da merenda. À noite, desnecessário perguntar-lhe do que gostaria para o jantar, pois a resposta era invariavelmente a mesma: macarrão. Contentava-se com molhos simples, à base de tomate, manteiga e queijo.

A mania foi passando, e Aldo Federico — que não tinha tendência a engordar e continuava magro como sempre — pouco a pouco voltou a variar o cardápio. Mas ele nunca foi, nem será jamais, um gourmand. Meu pai, apreciador absoluto da boa mesa e bom garfo, dizia que um marido deve ser amarrado pela gula. Não sei se isso ainda vale para hoje, mas de qualquer forma eu não era obrigada a viver na cozinha para acompanhar as exíguas exigências de Aldo Federico. Bastava confiar na ajuda das inexperientes empregadas.

Caso eu quisesse segurar o meu marido, precisaria bolar um estratagema mais engenhoso, pois ele tinha jeito próprio de apreciar os alimentos: gostava de misturar todas as comidas no mesmo prato, num único monte. Satisfeito, exclamava: "Não está bom. Está *muito* bom!". Encontro explicação para esse procedimento no fato de que Aldo

Federico foi gerado entre as elevações que rodeiam a sua cidade. Era da terra da *monocomida*! Também se comportam dessa maneira os pastores, que passam a vida cuidando de ovelhas na solidão das montanhas. Alimentam-se sempre com derivados do leite de seus animais, inclusive o *pecorino* — queijo de ovelhas cujo prepraro está longe de ser exemplo de higiene.

Aldo Federico veio dos Abruzzi, que fazem parte do Sâmmio, uma das mais antigas regiões da Itália. Seu rosto e seu físico denotam claramente que ele nasceu em L'Aquila. Essa cidade, pequena, românica e medieval, gaba-se de ter muitos advogados e nobres. No início eram 99 famílias, cada uma com igreja, fonte e castelo próprios. Quem nasceu depois, dedicou-se à advocacia. Claro que Aldo Federico virou advogado.

L'Aquila, como qualquer lugar que se preze, possui a sua culinária. São receitas limitadas, mas saborosas. Cada trattoria ou restaurante apresenta cardápio especial. Pratos aquilanos mesmo, porém, são as Fettuccine alla Chitarra e os Spaghetti alla Sannita. Existe um restaurante famoso na cidade, As Três Marias. Ninguém sabe a origem certa do nome. Se foi batizado em honra às três virgens das três igrejas de três povoados vizinhos, ou ao trio de fundadoras, formado por mãe, filha e neta. Recomendo o restaurante a quem visitar L'Aquila. Enquanto não chega a hora, aproveitem para testar em casa a *pasta* dessas três misteriosas Marias.

Fettuccine alla Chitarra

500 g de fettuccine
1 lingüiça de porco (magra)
50 g de funghi secchi
4 conchas de molho de tomate caseiro
queijo pecorino ralado
parmesão ralado
azeite
sal

Corte a lingüiça em pedaços pequenos. Frite-a em pouca água e um tantinho de óleo. Reserve. Cozinhe os funghi cortados (previamente reidratados) com o mínimo de azeite. Depois, junte na mesma panela a lingüiça, os funghi e o molho de tomate (bem encorpado). Prove e corrija o sal. Misture às fettuccine preparadas ao dente e sirva com os queijos à parte.

SPAGHETTI ALLA SANNITA

500 g de spaghetti
100 g de manteiga
1/2 copo de azeite
5 filés de anchovas
4 cebolinhas verdes
30 g de roquefort
1 fatia de salmão defumado
1 punhado de folhas de hortelã
1/2 copo de salsa picada
parmesão ralado
queijo pecorino ralado

Refogue rapidamente na metade do azeite e na manteiga as anchovas picadas, o salmão em tiras curtas, as cebolinhas em segmentos pequenos e o roquefort esmagado com garfo. Depois de 2 minutos, acrescente a salsa picada e as folhas de hortelã inteiras. Deixe por mais 1 minuto. Prove o sal. Prepare os spaghetti ao dente, escorra e junte o restante do azeite. Despeje o molho e misture-o delicadamente à massa. Acompanhe com parmesão e pecorino, servidos separados.

PIQUENIQUE NA CAMA

Uma amiga foi à feira de antiguidades em busca de uma cama. Queria um móvel de estilo para quebrar a monotonia da sua mobília. Seria barroco o ideal? Ou o estilo inglês? Encontrou uma cama Luís XV, de casal, cheia de detalhes dourados. Mas ela queria algo mais, não só para dormir ou amar, mas também para ler, escrever cartas, receber massagens, tomar café da manhã, o chá da tarde, ver TV, comer com o marido...

Muitos fazem da cama um lugar especial. Cálido, seguro, quase um replay do ventre materno. Sou um bom exemplo. Adoro ler, escrever, catalogar papéis ou recortar bobagens na cama. É extremamente agradável. Também Pietro Maria Bardi já usou a cama para escrever livros, artigos e trabalhos de pesquisa.

Dos tatames japoneses às redes nordestinas, há variantes para todas as exigências. No Império romano, havia os triclínios, que eram usados nos banquetes. Nesses casos incômodos os convivas se recostavam e comiam coisas complicadas, tão cheias de temperos e molhos que agora nos pareceriam um castigo dos deuses. O garum, condimento líquido elaborado com intestinos salgados de peixe apodrecidos ao sol, tinha odor fétido e acompanhava a maior parte dos pratos.

Aqui vão algumas sugestões para quem critica o hábito de fazer múltiplo uso da cama transformá-lo em divertido piquenique doméstico. Quem sabe passem, do mesmo modo que eu, a reverenciá-la como espaço de felicidade.

Primeiro, ponha plantas e folhas verdes nas janelas do quarto para dar a impressão de que está no meio de um jardim. Pinte bandejas leves, de vários tamanhos, com motivos florais. São mais versáteis do que as clássicas mesinhas para cama. Em duas bandejas grandes, disponha pratos, talheres, copos e guardanapos. As menores, apoiadas na cama, recebem as comidas divididas em grupos: queijo em cubos, azeitonas, tomates fatiados, folhas de rúcula, rabanetes, talos de cenoura, salsão, pepino, erva-doce, pimentão, couve-flor. Os temperos — sal, azeite e pimenta-do-reino — e molhos ganham bandejas próprias. Que tal uma maionese com iogurte e hortelã? As frutas também ficam em bandeja separada. Mude tudo segundo o seu gosto e disponibilidade. Experimente usar atum, ovos cozidos cortados, frango, frios, ou até pratos um pouco mais elaborados. E, para evitar reclamações do parceiro, escolha pratos sem líquidos ou molhos que possam lambuzar o controle remoto.

Biscoitos Salgados

100 g de queijo parmesão ralado fino
100 g de farinha de trigo
100 g de manteiga
1 ovo
1 clara de ovo
1 envelope de semente de papoula (90 g)
1 pitada de sal

Bata a manteiga com colher de pau, até ficar cremosa. Acrescente o ovo e bata. Misture o queijo, a farinha de trigo e abra a massa com rolo, na espessura de 1 cm. Corte em tiras de 7 cm por 3 cm. Ponha numa assadeira untada, cuidando para que as tiras fiquem separadas. Pincele com clara de ovo, polvilhe com as sementes de papoula e leve ao forno por 15 minutos. Desligue o forno, deixe esfriar e retire. Conserve em vidros fechados.

NUNCA TREZE À MESA

A primeira vez que encontrei o presidente da Fiat argentina foi num jantar na casa de uma família napolitana. Ele também era de Nápoles — o mesmo que dizer que era supersticioso, aliás muitíssimo supersticioso. A noite começava com um prato de pasta e, em deferência especial ao convidado, a anfitriã programou para todos o macarrão que ele comia na nova dieta. Segundo o seu médico, não eram as massas que engordavam, e sim os molhos. Se tivéssemos a capacidade de acompanhar massas com molhos elaborados a partir de um único elemento, sempre o mesmo, conseguiríamos, *Dio mio*, afinar a silhueta.

Na verdade aquele executivo nem era gordo. Não sei se pela dieta ou por questões de metabolismo. O macarrão servido veio preparado apenas com mozarela ralada e em fatias, cuja quantidade encobria por completo o sabor da massa. Parecia mozarela com pão. A travessa foi retirada quente do forno, com pouco orégano, sal e pimenta-do-reino. O queijo se derretera totalmente, formando longos e inconvenientes fios — momento crítico no jantar.

Mudando de assunto: o número 13 costuma ser referência ambígua. Se para uns significa sorte, em muitos provoca o medo de pavimentos ou assentos em que está assinalado. Existem hotéis que o omitem na numeração dos andares, indo do 12º direto para o 14º. Dizem que o motivo do medo se encontra na ceia em que o décimo terceiro apóstolo era Judas Iscariotes, o que dispensa explicações. Daí, *never*, nunca, jamais, se devem reunir treze convivas à mesa.

Voltando ao macarrão. Após alguns anos, por volta de 1973, passávamos os finais de semana no sítio, onde rodadas de pizza ou massa eram praxe. Houve um sábado em que chamamos, entre outros amigos, Oberdan Sallustro — o presidente da Fiat — para jantar. Preparamos, então, o macarrão do mesmo jeito, afogado por mozarela. Molhos diferentes viriam separados para quem não quisesse seguir o estranho regime.

Chegou o momento de passarmos à mesa. Percebi que três dos dezesseis convidados faltaram. E dom Sallustro, o supersticioso, decerto já teria contado os convivas. Como àquela hora não conseguiria encontrar algum ente disponível, resolvi disfarçar e distribuir as pessoas em duas mesas. E optei por não sentar, retirando a minha cadeira. Mesmo assim, senti que pairava um tom de insatisfação. O macarrão fez sucesso. Mas resultaria em sério desastre meses depois.

A guerrilha dos montoneros começava. O napolitano supersticioso foi a primeira vítima de seqüestro político na Argentina e, para grande dor dos amigos, o primeiro a ser morto. Deixou saudade e perplexidade. Não sei se o jantar atraiu a tragédia, mas após a fatídica coincidência jamais preparei um jantar para treze pessoas.

Fusilli com Mozarela

500 g de fusilli
350 g de mozarela
pimenta-do-reino
4 colheres de azeite
sal
orégano fresco

Cozinhe os fusilli ao dente, tempere-os com sal, pimenta e orégano. Junte o azeite e a mozarela ralada grossa. Ponha no forno e espere começar a derreter. Sirva em pratos individuais, se possível aquecidos sobre réchaud antes de passá-los a cada convidado. Acompanhe com bandejas de molhos diferentes e quentes: pesto, funghi, bolonhês, tomate com sálvia, tomate com atum, arrabbiata, puttanesca, básico de tomate etc. Não tem nenhum pronto? Então providencie, ora!

Molho Básico de Cenoura e Cebola

500 g de cebola
500 g de cenoura
80 g de manteiga (ou 2 dedos de 1 copo de azeite)
1/2 colher de açúcar
sal

Rale as cenouras e as cebolas. Ponha-as para cozinhar em panela grande, com o açúcar, a manteiga e 3 colheres de água. Deixe em fogo brando até que a cebola fique transparente e a cenoura amoleça. Comece então a adicionar mais colheres de água, para evitar que os ingredientes grudem na panela. Tempo aproximado de preparo: 3 horas. Mexa sempre com colher de pau, salgue e retire do fogo. Deixe esfriar e conserve em freezer.

LE ZITE DELLA ZIA NUNZIATINA

Capri. Qual dos viajantes veteranos não conhece o paraíso rochoso de praias minúsculas e a pequena praça ao redor da qual tudo gravita? Situada no Sudoeste italiano, a ilha despontou no início do século como refúgio de políticos russos no exílio — embora na Antiguidade romana tivesse servido de esconderijo a alguns imperadores que para lá se retiravam a fim de amar os seus efebos com tranqüilidade. Capri também sempre exibiu a sua Gruta Azul a artistas ou pessoas pouco aceitas pela moralidade de cada época. No exíguo cenário geográfico surgiu, a partir dos anos 30, uma batelada de hoteizinhos e lojas. Sem contar os restaurantes, que atiçavam a gula dos turistas. Eram tantos e tão bons que passaram a rivalizar-se nos preços e na comida, com o objetivo de atrair mais fregueses.

Intermezzo cultural: acredita-se que tocar algo feito de ferro traz boa sorte. Também afugentaria o azar quem carregasse no bolso pelo menos uma chave de ferro ou pendurasse ferraduras de cavalo atrás da porta. Receber pregos de presente é garantia de vida tranqüila. Fim do intermezzo cultural.

Numa bela noite de luar em Capri, decidimos jantar num restaurante indicado por amigos, com decoração que exaltava o mar e a pesca. Escolhemos as Zite da Tia Nunziatina ao Tomate. (A palavra *zite* deriva de *zitella*, "donzela ou mulher solteirona". São comidas obrigatórias para moças supersticiosas de certas regiões do Sul da Itália.) Chegaram à mesa as *zite* solicitadas: duas porções de pasta esplêndida, com espesso molho de tomate. Fumegantes, aromáticas, irresistíveis.

Sublimes. Só que, ao chegar à metade do prato, Aldo Federico sentiu algo duro na boca. Não daria mesmo para engolir o intruso da receita: um prego. Olhamo-nos. Tentei argumentar que se põem pregos nos funghi secchi para evitar os bichos. Mas o molho das Zite da Nunziatina não levava funghi. Restavam três hipóteses. Primeiro, talvez a casa pusesse pregos na massa para dar sorte. Segundo, seria um souvenir do restaurante. Terceiro, apenas descuido da cozinha.

Aprendi a não confiar em restaurantes em estilo marinho, com redes no teto e peixes empalhados no balcão. É conveniente, nesses lugares, ter sempre um ímã na bolsa e passá-lo por cima do prato antes de começar a comer.

Le Zite della Zia Nunziatina

500 g de zite quebradas em 3 partes
1 kg de tomates, sem pele e em cubos
2 folhas de manjericão
1 colher de alcaparras
250 g de presunto cru em tiras
300 g de ricota
150 g de queijo pecorino ralado
1 concha de ragu (receita seguinte)
1 dente de alho
2 cravos
1 pimentão verde
1 pimenta dedo-de-moça sem sementes
1/2 copo de azeite

Corte e cozinhe no azeite o pimentão verde e a pimenta dedo-de-moça, o dente de alho amassado, os cravos, o presunto e 200 g de ricota. Deixe 6 minutos em fogo forte. Acrescente os tomates, o manjericão e as alcaparras. Cozinhe por mais 6 minutos. Agregue o ragu. Prepare as zite ao dente. Junte-as ao molho e cubra com pecorino e o restante da ricota amassada.

Ragu Bolonhês

500 g de carne de porco (magra) moída
500 g de carne vermelha (patinho) moída
½ quilo de tomates sem pele e passados na peneira
20 g de extrato de tomate
1 litro de água
200 g de manteiga
1 copo de óleo
1 colher de manjericão fresco moído
1 pitada de noz-moscada
1 cebola média ralada
1 copo de vinho tinto
sal a gosto

Em uma panela grande despeje o óleo, a manteiga, a cebola ralada e deixe dourar. Adicione em seguida a noz-moscada, sal e as carnes moídas. Quando estiver bem dourado, acrescente o vinho e deixe no fogo médio até evaporar por completo. Junte o extrato de tomate, os tomates e a água (em 3 vezes). Cozinhe por 4 horas, até que o ragu adquira uma bonita cor escura. Por último, coloque o manjericão.

Zite Semplici para uma Ex-Freira

500 g de zite (quebradas em pedaços)
3 dentes de alho
1/2 maço de cebolinha (só a parte verde)
800 g de tomates, sem pele e cortados em cubos
1 colher (chá) de curry
8 folhas de manjericão
1 colher de gengibre ralado
1/2 pimenta dedo-de-moça (sem sementes)
1 pitada de noz-moscada
1 lata pequena de extrato de tomate
parmesão ralado
1 colher (chá) de açúcar
1/2 copo de azeite
sal

Frite por 2 minutos, em bastante azeite, os dentes de alho inteiros. Acrescente as cebolinhas com 1 cm de comprimento, o curry, a noz-moscada, a pimenta dedo-de-moça e o gengibre. Deixe no fogo por mais 2 minutos e adicione o sal e os tomates. Mexa durante 5 minutos, até que tudo comece a amolecer. Despeje o extrato de tomate dissolvido em um pouco do líquido deste preparado, mais o açúcar e as folhas de manjericão. Cozinhe as zite ao dente, condimente-as com azeite e parmesão, e por último cubra com o molho.

AS BATATAS OLEOSAS DA MAGA

Abrir parêntese. Mil perdões por relatar tantas histórias da Segunda Guerra. O problema é que, por mais que a mostre de longe, foi um fato que acompanhou a minha juventude, e embora eu tentasse ignorá-la, a monstra existia. Fechar parêntese.

Cursava a faculdade de medicina quando uma colega alardeou os dons de uma fabulosa vidente. Relatar esoterismo no Brasil não significa muita coisa, mas na Itália daquele tempo precisava-se de enorme paciência para encontrar um bruxo — verdadeiro ou impostor. Seria o meu primeiro contato com a magia, detalhe que exalava cheiro de pecado.

Cheguei à casa da maga com a tal amiga, que, experiente, movia-se com desenvoltura e intimidade. Passamos a um dormitório onde, em cama desfeita, recostava-se uma velhota mal-arrumada, de cabelos cinzentos desalinhados, ao lado de seu gato branco encardido e um prato de batatas fritas. A impressão não poderia ser pior. A mulher perguntou o que queríamos. Como não sabia? Era vidente ou não? Ela parecia impaciente e aborrecida. Precisávamos saber quando a guerra terminaria ou se os namorados eram os futuros maridos. Eu queria ir à América, o que para mim significava Nova York. Assegurou-me que isso aconteceria, enquanto comia as batatas banhadas em óleo com as mãos. Apesar das aparências, saímos acreditando que tudo realmente daria certo e tratando de esquecer aquela criatura mesquinha.

Embora meu primeiro contato com o mundo dos magos não tivesse sido nada brilhante, o segundo pareceu-me bem sugestivo.

Acompanhavam-me dois namorados (ambos viviam em Roma, em casa de tios), e os três estávamos cheios de dúvidas. Entramos separadamente. Outra velhota nos recebeu, sentada a uma mesinha, em seu quarto pouquíssimo iluminado. Usava capa bege de tricô e se chamava Scarfogliere, sobrenome de origem napolitana. Estava desarrumada também e segurava um baralho. Convidou-me a cortá-lo. Com a mão direita fechada, apoiada sobre as cartas, pronunciei a frase ritual: "Destino vieni, ti chiamo, ti aspetto".

Emocionante. As respostas do baralho foram claras, incontestáveis. O futuro marido estava próximo; não era de Roma, mas de outro lugar; não vivia com os pais, mas com parentes. Moraríamos no exterior. Eu estava namorando mais firme com um dos dois. Seria esse o escolhido pelo destino? Já que não era de Roma, decerto tratava-se do norte-americano, que, na sala vizinha, esperava sua vez de entrar. Feliz, acreditei que casando com ele Nova York seria minha.

Nunca somos completamente lúcidos. O destino, terminada a guerra, levou-me ao Uruguai, mas não mentiu. O outro enamorado que esperava a consulta também morava com os tios e vinha de fora de Roma: Aldo Federico.

Meu Aldo Federico! Sargento de esquadrão, com cavalos e canhões de madeira espetados na praia. Tempos depois, achava-se em Nice com as tropas italianas de ocupação. Elegante como sempre, teve ali o seu segundo contato com a magia, por deferência especial de uma quiromante — que não atendia italianos por considerá-los inimigos. Ela olhou a sua mão, viu tudo ótimo, com futuro feliz. Só deveria ficar atento aos 42 anos, prenúncio de uma desgraça. E mais: com certeza, jamais teria sorte em loterias, apostas ou corridas de cavalos.

Comecei a sofrer ao se aproximarem os 42 anos de Aldo Federico. Sorte: nessa idade ele teve uma crise de apendicite, só isso. E quanto à última profecia? Ela nos condicionou piamente à falta de talento junto a números. E mesmo tendo às vezes comprado bilhetes de loteria, rifas beneficentes, raspadinhas, jamais embolsamos um tostão furado.

Biscoitinhos da Sorte

Antiga receita chinesa

2 ovos
1/2 xícara de açúcar
1 colher (chá) de extrato de baunilha ou de amêndoas
1/2 xícara de óleo vegetal
1/2 xícara de maisena
1/2 xícara de água

Bata os ovos e o açúcar na velocidade máxima da batedeira, até engrossar. Acrescente o extrato e o óleo. Numa tigela, junte a água e um pouco da mistura dos ovos com a maisena. Sempre mexendo, adicione o restante do creme de ovos. Aqueça uma fôrma em forno médio e, com uma colher, deposite nela a massa em círculos de 10 cm. Asse cada lado por 2 minutos e meio ou até que estejam dourados e com as bordas ligeiramente escurecidas. Retire os biscoitos da fôrma e ponha no meio de cada um deles um papelzinho com uma mensagem de sorte. Aperte suas bordas, dando-lhes um formato de meia-lua. Puxe as extremidades, uma em direção à outra, como se os biscoitos fossem cappelletti.

Lentilhas de 31 de Dezembro

500 g de lentilhas
100 g de bacon defumado
1 pimenta dedo-de-moça sem sementes
1 cebola grande
3 colheres de azeite

1 lata pequena de extrato de tomate

sal

pimenta-do-reino

Cozinhe as lentilhas em muita água. Em outra panela, frite a pimenta dedo-de-moça picada, a cebola ralada e o bacon cortado em tiras. Antes de o bacon dourar, junte essa fritura às lentilhas e cozinhe o composto até a água quase sumir. Misture bem o extrato de tomate, pouco sal e apague o fogo. Despeje as 2 colheres de azeite e leve à mesa na travessa mais bonita da casa.

Coroa de Polenta

500 g de fubá

2 litros de água

1 folha de louro

1 kg de cebolas

6 colheres de azeite

2 colheres de extrato de tomate

1/2 pimenta dedo-de-moça

100 g de anchovas

1 colher de alcaparras picadas

1/2 copo de vinagre de vinho tinto

1/2 copo de vinho tinto

1/2 maço de sálvia fresca

1 dente de alho

3 talos de salsão (só a parte branca)

100 g de shiitake frescos

1 copo de uvas passas sem sementes

100 g de papaia em cubinhos
1 pimentão amarelo sem pele
$1/2$ abobrinha em cubinhos
sal
parmesão ralado
queijo pecorino ralado
pimenta-do-reino

Preparar polenta que não fique mole é difícil: o ponto exato depende da qualidade do fubá. Pois bem. Ponha a água e sal na panela. Quando a água ferver, jogue o fubá pouco a pouco como uma chuva, misturando sempre com colher de pau. A polenta estará pronta ao começar a se desprender da panela. Passe para uma travessa umedecida com água fria. Procure dar formato de meia-lua à polenta e alise-a o maior tempo possível com a lâmina untada de uma faca. Com auxílio de colher, retire um tanto da polenta do meio da travessa até se formar um buraco. Polvilhe o restante com parmesão ralado grosso para que adquira aspecto agradável.

Para o molho, leve ao fogo brando as cebolas raladas, com o azeite e 1 colher de água. Tampe e cozinhe até ficar transparente. Acrescente o extrato de tomate diluído em 2 conchas rasas de água, o salsão cortado finíssimo, a folha de louro, a pimenta com algumas sementes, o pimentão amarelo em tirinhas, as uvas passas (previamente deixadas na água para amolecer), os shiitake cortados em pedaços, a abobrinha em cubos e, por último, o papaia em quadrados médios. Cozinhe por 5 minutos. Assim que o molho parecer espesso, junte as alcaparras e as anchovas picadas. À parte, ferva o vinho, o vinagre, o alho e a sálvia. Deixe reduzir bastante. Misture ao molho principal, ferva por mais 5 minutos e preencha o buraco na travessa da polenta. O que sobrar deve ser servido quente em outra travessa. Ofereça também parmesão, pecorino e pimenta-do-reino separadamente.

O BODUM DO GARUM

Poucos já ouviram falar do garum — molho de que a população da Roma imperial não prescindia à mesa. Aliás, ninguém o conhece de fato. Os romanos usavam e abusavam de drogas na culinária, movidos pela necessidade. Por ignorar meios eficazes de conservar as comidas, disfarçavam o gosto de alimentos estragados. O mau cheiro predominava. As drogas para conservação eram caras. Vinham do Oriente em custosas e perigosas viagens. Por isso, em determinado período, o garum substituiu as especiarias orientais. E tornou-se essencial.

Ainda não se conhece a verdadeira composição do garum. Sabe-se apenas que era um líquido preparado com vísceras de peixes, salgadas e postas ao sol para secar. Enfim, uma putrefação completa! O cheiro nauseabundo não incomodava, e o garum, que substituía também o sal, estava presente na maioria dos pratos, salgados ou doces. Acompanhava a célebre Abóbora de Alexandria, juntamente com pimenta, coentro, cominho, hortelã, vinagre, cenouras, mel, pinhões, vinho e mosto cozido. Era usado ainda na preparação de cogumelos, tortas de carne, ameixas, aves, cozidos de avestruz, peito de porco e até em bolos de rosas.

Mais tarde passaria a ser conhecido como Molho de Apicius (personagem que coletou muitas receitas de cozinha; ignora-se se viveu na Roma republicana ou na imperial). De qualquer modo, o garum sobrevive, embora como longínqua lembrança num purê de anchovas e sal, o Machetto, utilizado no preparo de um tipo de pizza do litoral genovês. A mesma mistura é encontrada nos restaurantes das zonas portuárias de Nice e de Marselha.

Mas, em vez de tentar reviver o estranho garum, seria melhor lembrar de um molho feito de carne, anchovas, cebola e limão, que está bem distante do mau odor ou sabor de podridão. É ideal para acompanhar spaghetti. A receita veio de minha mãe, que, entre outras virtudes, era perfeita em sua cozinha cheirosíssima.

Carne com Molho de Limão

800 g de coxão mole ou filé mignon
1 copo de azeite
5 colheres de alcaparras
7 cebolas médias raladas
7 filés de anchova
3 limões
sal
pimenta-do-reino

Amarre a carne bem apertada. Numa panela, ponha o azeite, as cebolas raladas, mais os filés de anchova (limpos e inteiros). Frite a carne rapidamente, em fogo forte, para dourar de maneira uniforme. Baixe o fogo e vá cozinhando. Adicione o suco dos 3 limões quando a carne estiver quase pronta. Salgue a gosto. Acrescente água de vez em quando (1 colher por vez) para que não grude na panela. Por último, salpique pimenta-do-reino. Retire o fio que amarra a carne, a qual deve ser fatiada bem fina ao esfriar. Passe no liquidificador o molho que ficou na panela e despeje-o sobre a carne, espalhando alcaparras por cima. Como opção de acompanhamento, cozinhe ao dente 500 g de spaghetti, jogue o molho sobre a massa ainda quente, polvilhe bastante parmesão ralado e sirva.

Maccheroni alla Buccia di Limone

500 g de rigatoni

raspas de 5 limões sicilianos (só a parte amarela)

250 g de parmesão ralado grosso

pimenta-do-reino

azeite a gosto

sal

Cozinhe os rigatoni ao dente, em água salgada. Acrescente a eles o azeite e o parmesão. Polvilhe com as raspas de limão e doses generosas de pimenta-do-reino. Misture bem, e pronto.

Lingüine com Ervas e Casca de Limão

350 g de lingüine

2 limões de casca amarela (sicilianos)

30 g de manteiga

50 ml de azeite

20 folhas de hortelã

1 ramo de dill

2 colheres de salsa

pimenta-do-reino

sal

Corte a casca dos limões em tiras finas, ferva-as por 2 minutos e escorra-as em água corrente. Lave e pique as ervas, ponha no azeite e reserve. Frite rapidamente na manteiga a casca dos limões; adicione sal e pimenta-do-reino a gosto. Cozinhe a massa ao dente. Escorra, misture à casca dos limões e às ervas com seu azeite. Sirva.

Spaghetti ao Limão

400 g de spaghetti
2 limões amarelos (com muito suco)
3 colheres de salsa picada
6 folhas de manjericão
50 g de manteiga
sal
pimenta-do-reino

Corte as folhas de manjericão em pedaços pequenos. Com colher de pau, trabalhe em fogo baixo a manteiga, a salsa picada, o manjericão, sal e pimenta-do-reino. Esprema os limões e coe o suco. Cozinhe ao dente os spaghetti. Condimente com o composto acima e sirva.

UM JANTAR ROXO

O ano era 1740. No Vaticano, reinava o papa Clemente XII, homem de gosto sofisticado. Na época do Natal, era preciso respeitar a vigília da véspera e a proibição de comer carne. Nenhum dogma, porém, existia contra o gosto pela elegância. E se, próximo à festa do Advento, o paladar tivesse de ser castigado, que os olhos ao menos se rejubilassem com algo mais que essencial. O roxo ou violeta foi exaltado como cor indicada para jantares de grande gala. O roxo, cor do luto e do meio-luto no catolicismo, e usado nos paramentos da Igreja, tem ainda uma ótima aura perante a filosofia oriental.

O Palácio do Quirinal, atual residência do presidente italiano, naquele tempo funcionava como endereço oficial do papa e de sua corte. Lá, depois de concertos e oratórios, os convidados para o Natal passavam ao salão do banquete. Uma mesa comprida fora enfeitada com flores, frutas, sorvetes, gelatinas, compotas, legumes e saladas. Algumas verdadeiras, outras, imitações esculpidas em gelo ou manteiga. A comida propriamente dita era trazida por vários maîtres-d'hôtel, comandados por um *architriclino* e um *cenobiarca*, títulos de funcionários não laicos, que ocupavam altos cargos, escolhidos para servir o papa em cerimônias.

O menu compunha-se de peixes de água doce ou salgada, legumes, frutas e sorvetes. A toalha de mesa, as librés dos auxiliares e dos maîtres, as batinas dos religiosos, bem como as largas vestes talares, tudo era exclusivamente roxo. Claro que passei longos anos à cata de alguma receita que combinasse com essa cor. E descobri dois pratos com cara de batina.

Charutos de Repolho Roxo e Peixe

2 berinjelas pequenas
cerca de 20 folhas de repolho roxo
5 uvas roxas
2 colheres de beterraba ralada
160 g de manteiga
1 cebola média
400 g de filés de peixe sem espinhas
2 folhas de louro
2 colheres de coentro picado
casca de 1 poncã
150 g de mozarela fatiada
1/2 parte branca de 1 alho-poró
1 limão pequeno
sal

Corte as berinjelas em tiras delgadas. Salgue e deixe em peneira com um peso em cima para que o sabor amargo desapareça e o líquido escorra. Depois, frite-as em pouca manteiga e reserve. Cozinhe os filés de peixe em 2 colheres de manteiga, 1 copo de água com sal e 1 rodela de cebola. Para dar aroma, junte as 2 folhas de louro e o coentro. Retire o caldo. Reserve. Esmague os filés com garfo, agregando 1/2 colher de raspa da casca de poncã (sem a parte branca, que é amarga), mais as 2 colheres de beterraba ralada. Reserve. Passe as folhas do repolho rapidamente no vapor. Em cada uma ponha um pouco da massa de peixe condimentada. Sobre a massa, uma fatia de mozarela e algumas rodelas finas de alho-poró. Feche os repolhos com palitos, formando cha-

rutinhos. Ponha-os em frigideira com manteiga, um dedo do caldo reservado, uma porção mínima de cebola ralada fina e o sumo de 1/2 limão. Deixe no fogo por 3 minutos. Arrume em travessa e acomode as tiras de berinjela ao redor dos charutos de repolho. Enfeite o prato com uvas roxas.

RIGATONI EM MOLHO MAGENTA

500 g de rigatoni
3 beterrabas
1/2 litro de creme de leite
azeite
noz-moscada
sal

Ferva e depois rale as beterrabas. Liquidifique-as com uma parte do creme de leite. Junte sal, um pouco de azeite e pitadas de noz-moscada. Cozinhe os rigatoni ao dente e escorra-os, temperando com um pouco de azeite, o restante do creme de leite e a beterraba liquidificada. Tente servir em travessas e pratos amarelos, para evidenciar o contraste entre as cores.

MÓDENA VERSUS BOLONHA: O x O

A Itália é, "cosi è se vi pare", um interminável passeio gastronômico. Cada região, cidade ou povoado apresentam comidas e produtos próprios, além de receitas locais. Em termos gerais, pode-se afirmar que o Norte cultua o arroz e a polenta, enquanto o Sul estaria mais ligado ao macarrão. As regiões quase centrais da Emilia Romagna mantêm a especialidade da *lasagna*, do *pasticcio* e do *timballo* de massa podre recheado com pasta. Se de cidade para cidade os gostos culinários diferem, existem ainda as rivalidades herdadas dos bairros do tempo das comunas, as *contrade*. Às vezes tais diferenças resultam em festas cívicas, como o Pálio — corridas de cavalos de origem medieval que ocorrem semestralmente em Siena, quando todas as *contrade* competem de forma violenta. Por serem seculares, os motivos das rixas insuperáveis são lembrados apenas por poucos. O notável é que cada tradição pretende se manter sobrepujando outra.

A introdução serve para contar a história de Laura, caçula de uma família de bolonheses. Linda, rica e prendada, ela namorou e casou-se com um moço também lindo, rico e cheio de virtudes. Melhor ainda, ele nascera, estudara e se criara em Módena, agradável cidade a 27 quilômetros de Bolonha. Mas foi em Bolonha mesmo, na residência da noiva, que se comemorou o casamento. O parque iluminado, o aroma das flores, os petiscos deliciosos, o champanhe que corria solto, tudo fazia supor que participávamos do melhor dos eventos. Exceto por um detalhe: a rivalidade histórica entre as duas cidades, que impedia a confraternização entre os convidados. Os bolonheses posicionavam-se no lado esquerdo do jardim; os modenenses permaneciam estáticos no direito. Elegantíssimos, ambos os grupos. As senhoras, ostentando penteados impecáveis e enfeitadas com muitas jóias, exibiam-se, desdenhando a muda disputa, pois todos pareciam determinados, como os três macacos lendários, a não ver, não ouvir e não falar.

Enquanto isso, uma mesa enorme, estrategicamente montada no meio do parque, se impunha cada vez mais. O bolo de casamento com vários andares, ao centro, funcionava como divisor de águas ideológicas: as receitas bolonhesas ficavam à sua direita e, no lado oposto, reluziam as guloseimas de Módena. Havia, porém, uma zona neutra. Dois pratos de pasta reinavam soberanos naquele cenário, ignorando as mesquinharias setoriais. Um presente que anulava facções e acalmava os convivas. Com vocês, a Lasagna Verde Modenese e o bolonhês Pasticcio Dolce di Cappelletti, antigas receitas de cada cidade.

Lasagna Verde alla Modenese

500 g de lasanha verde
1 litro de molho de ragu
1/2 litro de molho branco (receita à página 181)
parmesão ralado
sal
2 colheres de manteiga

Em muita água com sal, cozinhe por 4 minutos as tiras de lasanha, poucas de cada vez. Retire-as quando estiverem bem ao dente e arrume-as, uma ao lado da outra, sobre panos de cozinha umedecidos. Unte com manteiga uma travessa refratária com 5 dedos de altura, deposite a primeira camada de lasanha, cubra com ragu e abundante parmesão ralado. Repita a operação até atingir a superfície da travessa. Na última camada, distribua o molho branco com generosidade, polvilhando com bastante parmesão ralado e pedaços de manteiga. Leve ao forno médio por cerca de 20 minutos, até a parte superior dourar.

Pasticcio Dolce di Cappelletti

massa frolla (receita à página 138)
1/2 litro de ragu bolonhês (receita à página 164)
1/2 litro de molho branco (receita seguinte)
250 g de cappelletti de carne
250 g de cappelletti de frango
200 g de parmesão ralado
2 gemas
2 colheres de azeite
sal

Prepare a massa e divida-a em duas. Estique ambas as porções com rolo, para atingir 7 mm de espessura. Unte e esfarinhe uma fôrma, de cerca de 30 cm de comprimento por 8 cm de altura, com alças. Forre-a completamente com uma porção da massa preparada, fazendo furos na massa com auxílio de um garfo. Cozinhe os cappelletti em água e sal, escorra-os e condimente-os com as 2 colheres de azeite e o parmesão ralado, agregando-os na seqüência ao ragu e ao molho branco. Encha a fôrma com os cappelletti e cubra com a segunda porção da massa frolla. Faça furos com garfo e retire os excessos laterais com uma faca. Dobre as bordas em forma de cordão, pressionando de leve para que a massa de dentro se una bem à massa da cobertura. Pincele a superfície com as gemas e use as sobras da massa para enfeitar com tiras em xadrez. Pincele também essas tiras. Leve ao forno moderado por aproximadamente 40 minutos e desenforme quando estiver fria.

Molho Branco

50 g de manteiga

50 g de farinha de trigo

$1/2$ litro de leite

pitadas de noz-moscada (optativo)

sal

Derreta a manteiga em uma panela pequena (com cerca de 18 cm de diâmetro). Quando estiver totalmente dissolvida, adicione a farinha de trigo e mexa muito rapidamente para evitar pelotas. Se surgirem, ponha um pouco mais de manteiga. Junte o leite morno de uma vez só. Caso o molho resulte espesso demais, acrescente leite até atingir o ponto ideal. Cozinhe por 20 minutos, salpicando a noz-moscada e o sal.

Spaghettini alla Moda del Regno

500 g de spaghettini

6 colheres de azeite extravirgem

250 g de azeitonas pretas pequenas

2 folhas de repolho roxo

4 pimentas dedo-de-moça

50 g de amêndoas

2 colheres (chá) de dill

parmesão ralado

pimenta-do-reino

sal

Descaroce as azeitonas e pique-as miúdo. Ferva os caroços em pouca água até que larguem toda a tinta preta. Retire-os e reserve a água. Corte em tiras finíssimas as folhas (sem os talos) do repolho roxo e as 4 pimentas (sem sementes). Tire a pele das amêndoas (submergindo-as por 1 minuto em água fervendo) e corte-as em fatias. Ferva os spaghettini em água com sal. Escorra. Tempere com o azeite, mais a água escura do cozimento dos caroços e a metade das azeitonas cortadas. Arrume numa travessa, espalhando o dill, o repolho roxo, o restante das azeitonas e as pimentas. Sirva as amêndoas à parte. O parmesão ralado e a pimenta-do-reino moída são adicionados na hora de servir.

Penne com Azeitonas Pretas e Hortelã

500 g de penne
300 g de azeitonas pretas picadas
2 dentes de alho cru, picados finíssimo
3 ramos de hortelã (só as folhas)
4 colheres de folhas de salsa picada

Cozinhe ao dente as penne e junte todos os ingredientes. Sirva no mesmo instante.

BISPOS NO ESPETO

"Claras, doces, frescas águas", assim um poeta italiano exaltou o sossego dos riachos. Quem nunca se atirou sobre pastos verdes à beira de um rio e ficou a sonhar? Ou mesmo à beira de um regato. O que importa é que seja cercado de muito verde e tenha águas transparentes e pedras polidas de tanto rolar na corrente. Foi justamente num panorama desses, entre musgos, salgueiros-chorões e a calma sugerida pelo ar fresco, na foz do rio Cocuripe, em Alagoas, que alguns caetés, ancestrais de Francisco de Assis Chateaubriand Bandeira de Melo — jornalista e um dos homens mais poderosos do Brasil —, acomodaram-se, e se puseram a comer uns saborosos bispos portugueses. Isso aconteceu há quatrocentos anos, e gosto não se discute. Além do mais, poderia ser uma necessidade calórica. Todos precisamos vez por outra provar iguarias especiais.

Será que a carne dos bispos jovens é mais macia que a dos missionários idosos? O jejum expiatório dos religiosos teria modificado a consistência de sua carne? Seria melhor assada ou fervida? De qualquer maneira, o resultado foi inspirador, pois o doutor Assis imaginou em seus textos: "Eu e minha filha Teresa aparecíamos nus, sentados na foz do Cocuripe, comendo bispos portugueses tal como fizeram os meus ancestrais caetés quatro séculos atrás. O deslumbrante piquenique, que já povoou alguns delírios meus, seria a forma ideal de divulgar a origem do meu sangue ameríndio na Europa". Vai um bispo aí?

Para continuar tão interessante assunto, vou falar de outro homem de letras: um poeta italiano bastante famoso na França e Itália do começo do século: Gabriele d'Annunzio. Alguns acreditam que ele queria apenas se divertir às custas dos outros e que sua intenção seria *épater le bourgeois*. Durante um jantar parisiense em homenagem ao poeta, senhores notáveis das letras, da nobreza e da política entretinham-se conversando sobre a maciez das sofisticadas carnes que saboreavam. D'Annunzio, com ar propositalmente hesitante, assegurou que a carne das crianças recém-nascidas com certeza era fibrosa demais e muito parecida com a dos cordeiros. Assombro geral. Equilibravam-se a credulidade de uns e o pânico de outros. Fingindo embaraço, o poeta explicou que os autores da afirmação tinham vivido fazia muito tempo na África, e experimentaram mais de uma vez aquela carne.

Mas deixemos as carnes fibrosas a seus gulosos cultuadores e tratemos de preparar um rosbife de origem francesa acompanhado de uma pasta abençoada pela gula do Vaticano.

Rosbife

Não é a receita clássica

Retire pele e gordura de 1 kg da parte mais larga de um filé mignon. Amarre bem com barbante, esfregue com bastante sal fino e ponha numa assadeira. Polvilhe com mais sal fino por cima, até cobrir toda a carne. Recubra com farinha de trigo, sem deixar nenhum furo, para que a suculência da carne não escape. Asse em forno forte, preaquecido, por 10 minutos. Diminua a temperatura do forno e asse a carne mais 15 minutos. Retire. Depois de a carne esfriar, livre-a do barbante, do sal e da crosta de farinha de trigo. Leve ao freezer por meia hora. Com faca elétrica, corte-a em fatias finas. Leve-as de volta ao freezer, embrulhadas em papel-alumínio. Sirva-as frias, com saladas ou pimentões ao forno, temperados com sal, azeite e dois dentes de alho picados.

Fusilli com Molho do Papa

400 g de fusilli
3 colheres de azeite
1 cebola média
2 colheres de alcaparras
2 colheres de azeitonas verdes picadas
7 filés pequenos de anchova
40 g de manteiga
1 colher de farinha de trigo
1 colher de vinagre
parmesão ralado
sal

Para o molho, rale a cebola e frite-a na metade da manteiga. Quando ela começar a dourar, acrescente 4 colheres de água. Assim que ferver, junte as alcaparras e as azeitonas picadas, mais a colher de vinagre. Mantenha no fogo. Misture bem o restante da manteiga com a farinha de trigo e una ao molho. Cozinhe por poucos minutos, adicione as anchovas bem esmagadas e ferva por mais 2 minutos. Corrija o sal. Prepare os fusilli ao dente. Escorra. Besunte com o azeite, parmesão ralado e depois com o molho. Sirva.

DA ARTE DE DAR NÓ NAS GRAVATAS

Tive a sorte de encontrar, em um sebo de Roma, um delicioso livrinho editado em 1827: *A arte de pôr a gravata de todas as maneiras conhecidas e em uso*. Minha paixão por publicações raras estava no auge. Interessavam-me todos os temas, contanto que o livro fosse antigo e trouxesse gravuras.

Esse pequeno tratado sobre gravatas dizia: "Hoje, os modos de dar nós em gravatas são no mínimo catorze, que derivam de outros dezoito modos diferentes". Todos se iniciavam com o nó conhecido pelo nome de Gordiano Narrase, personagem estabelecido em Paris, em um regimento de soldados croatas, no ano de 1660. Na época, enfaixava-se o pescoço com pedaços de panos — seda para os oficiais, tecidos ordinários para os soldados — cujas extremidades desciam graciosamente sobre o peito. Esse complemento do traje, a *cravate* de hoje na França, chamou-se primeiro *croatta*.

Os nós mais elaborados denominavam-se gordiano, oriental, colar de cavalo, sentimental, Lord Byron, Hércules, matemática, gastrônoma etc. Os de uso corriqueiro: Diana, mala para viagem, concha da Virgem, quebra-coração, indolente, romântica, fidelidade etc. Segundo o livro, os nós de qualquer gravata são exatamente "como molho branco na cozinha: quando não dá certo, não pode ser consertado. Convém que seja refeito".

Seguem-se outras normas engraçadas para o uso de gravata em horas determinadas, mas a que me interessou foi a referente ao nó gastrônoma. Ei-la: "Essencial que a gravata não seja engomada com amido, pois o nó deve ser corrediço, de tal maneira que possa alargar-se e naturalmente afrouxar-se diante de movimentos da nuca ou do maxilar, ou até da respiração ofegante. No caso de indigestão, apoplexia e até debilidade, este nó traz a maravilhosa vantagem de desapertar-se sozinho, sem a ajuda das mãos. O nó gastrônoma deve ser usado apenas depois dos quarenta anos e nunca pela manhã". As cores ideais para gravatas com o nó gastrônoma são absurdas: rosa do presunto cru de San Daniele, cor de fígado de ganso condimentado, preto-cinza das trufas do Périgord e, pasmem, furta-cor da plumagem da garganta dos pombos. O livro arremata: "Trata-se de um nó ideal para os senhores que amam o requinte das mesas suculentas".

Farfalle alla Gastronoma

Ponha para cozinhar 400 g de massa em forma de gravatinhas (farfalle), temperada com muita manteiga preta (ver receita à página 131) e um pouco de água fervente na qual se terá dissolvido uma porção pequena de açafrão. Depois de escorrer a massa, misture-a a um bom naco de foie gras e 200 g de presunto cru San Daniele cortado em cubinhos mínimos. Pegue trufas pretas fatiadas finíssimas (quanto mais, melhor) e esparrame-as por cima, com parmesão ralado. Sirva sem pensar duas vezes.

Farfalle com Bacon e Ameixas

Escolha um punhado de bonitas ameixas secas. Deixe de molho por 1 hora. Retire os caroços. Depois de enxugá-las com um pano, envolva cada uma em tiras de bacon defumado. Quando estiverem todas prontas, frite-as por 5 minutos, com o mínimo de água e manteiga para que não grudem no fundo e o bacon derreta um pouco. Cozinhe 500 g de farfalle ao dente, condimente com o caldo da fritura, mais 1 gema de ovo cru, manteiga abundante, parmesão ralado (que deve formar fios na quentura da massa) e pimenta-do-reino moída na hora. Despeje por cima as ameixas enroladas no bacon e sirva rapidíssimo para o prato não perder o calor.

O *KOKOWATL* NOSSO DE CADA DIA

Os astecas viviam tranqüilos até a chegada de Cortez. Tinham lá as suas desavenças com povos vizinhos, mas o seu sistema social era profundamente organizado. Uma espécie de fruto servia de moeda para o pagamento de impostos, devidos ao rei Montezuma. Esse mesmo fruto também fornecia uma bebida, que, incrementada com pimenta, era sorvida fria. Tida em altíssima conta, chamava-se *kokowatl*. Mais tarde, o botânico Lineu batizou o fruto de cacau.

E o cacau chegou à Europa um século antes do café e do chá, levado pelos freis dominicanos. Considerado mercadoria preciosa, foi tão vigiado que demorou cem anos para transpor as fronteiras da Espanha e ser comercializado na Itália, Alemanha e França. Na metade do século XVII, abriu-se em Londres a primeira loja para a venda da tal bebida, o chocolate. Só os privilegiados podiam usufruir da novidade, extremamente cara. Segundo os anúncios da época, era "benéfica para damas frígidas ou cavalheiros cansados". De início adepta do consumo do chocolate, a francesa madame Sévigné depois o desaconselharia, porque provocaria "palpitações seguidas de morte".

Na Itália chegou-se a discutir se poderia ser ingerido nos dias do jejum recomendado pela Igreja, pois teólogos ilustres asseguraram que o produto tinha a virtude de não romper o jejum da Quaresma. Ainda hoje, na penumbra dos conventos, frades e freiras fabricam chocolatinhos valendo-se de receitas secretas, ou convidam para xícaras fumegantes de chocolate após comemorações de primeira comunhão. E é justamente do claustro que vem esta antiga receita, a qual provoca, no mínimo, perplexidade.

Há muitos anos, as freiras de um convento distante de Roma preparavam um doce chamado *sanguinaccio*. Parecido com torrone, era feito à base de sangue de porco, chocolate e amêndoas. Seria utilizado cru, o sangue do suíno? Continuariam as tais freiras a produzir o doce?

Minha ligação com o chocolate é atrapalhada. Adoro sobretudo os que contêm amêndoas, mas depois de lutar várias vezes com fortes hemicranias (devorava caixas inteiras de bombons), fiz a solene promessa de não comê-los nunca mais. Assim superei a tentação. Eu e o chocolate não temos mais nada a ver um com o outro. De qualquer maneira — e ainda que pareçam absurdas —, fiquem com estas receitas... ao chocolate.

Chocolate com Jasmim

Feito em 1680 para o grão-duque da Toscana

Use 10 libras de cacau limpo partido em lascas não muito finas e alguns jasmins frescos. Ponha numa caixa, em camadas, os jasmins e o cacau. Depois de 24 horas, deposite outra camada de jasmins, operação que deve ser repetida a cada 24 horas, por 10 ou 12 vezes.

Tome 8 libras de açúcar branco bem seco, 3 onças de baunilha e 6 onças de canela. Faça o chocolate segundo a receita tradicional, cuidando para que a pedra da mesa de trabalho não esteja quente demais. Se isso acontecer, o chocolate perderá o aroma dos jasmins. O cozinheiro não deve trabalhar mais do que 4 ou 5 libras por vez.

Molho com Cacau

Na próxima vez em que for fazer nhoque, experimente este molho. À primeira vista pode parecer estranho. E é estranho mesmo. A receita foi recolhida por Giovanni Bourbon de Sicile. Antes de preparar a massa do nhoque, ponha numa tigela 50 g de uvas passas (de preferência brancas, que terão sido deixadas em água morna para amolecer). Esprema-as entre as mãos para retirar o excesso de água e ponha-as de volta na tigela. Corte miúdo 25 g de cidra cristalizada e rale 50 g de mozarela, de preferência defumada, para dar ainda mais sabor ao prato. Junte às uvas na tigela. Acrescente 15 g de cacau amargo, uma pitada de canela, um pouco de sal e pimenta-do-reino, também em pouca quantidade. Misture bem. Quando a massa estiver quase pronta, adicione o conteúdo da tigela.

Massa de Cacau

Para fazer à máquina ou à mão

6 ovos
1 clara
500 g de farinha de trigo
10 g de sal
2 colheres bem cheias de cacau amargo

Misture todos os ingredientes, trabalhe bastante. Estique a massa até ela atingir a espessura de 2 mm. Pode-se fazer talharim de várias larguras, lasanha, maltagliati etc.

Os molhos para essa pasta também podem ser variados.

Sugestão: 50 g de pinhões, 2 gemas cozidas, 6 fundos de alcachofra, 1 limão, 2 colheres de salsa picada, 1 cebola, 2 colheres de azeite, 1/2 copo de vinho branco, 70 g de manteiga, parmesão ralado, sal e pimenta-do-reino. Rale finíssimo a cebola e pique os pinhões. Frite em 50 g de manteiga e no azeite durante 5 minutos. Acrescente os fundos de alcachofra fatiados. Frite mais 5 minutos, em fogo baixo. Agregue a salsa e o vinho. Aumente o fogo. Tempere com sal e pimenta. Adicione colheres de água morna e deixe 25 minutos em fogo baixo. À parte, amasse as gemas com garfo e misture o restante da manteiga, previamente amolecida, trabalhando até virar um creme. Junte o suco de

1 limão. Ponha queijo abundante no molho e misture em seguida na massa escolhida, cozida ao dente.

MAÇÃ COM CONHAQUE

400 g de tagliolini feitos à base de cacau
1 maçã verde
70 g de manteiga
1 dente de alho
1 colher (chá) de farinha de trigo
1 cebola
1 copo pequeno de conhaque
100 g de presunto cozido magro
1/4 de litro de creme de leite
sal
pimenta-do-reino
parmesão ralado

Doure o alho descascado e inteiro em 50 g de manteiga. Retire. Acrescente a maçã ralada grossa e sem casca, mais a cebola ralada. Cozinhe por 5 minutos, acrescente a farinha de trigo, misture bem por 10 minutos. Despeje o conhaque. Deixe evaporar. Ponha 4 colheres de creme de leite, parmesão ralado, sal e pimenta-do-reino. Reserve. Cozinhe os tagliolini ao dente. Misture-os ao restante do creme e da manteiga, com mais queijo ralado e o presunto cortado em tiras finas. Por fim, junte ao molho reservado.

HARAQUIRI À FRANCESA

A época de ouro de Luís XIV é o cenário deste trágico evento. Em 1661, o superintendente das Finanças, Nicolas Fouquet, ofereceu um banquete ao rei. Três mil convidados comeram em serviço de prata. O fato desencadeou a fúria de Jean-Baptiste Colbert, arquiinimigo real. E Fouquet, então o homem mais rico da França, foi condenado à prisão perpétua.

O cozinheiro de Fouquet, Vatel, que mereceu este elogio de madame de Sévigné: "Além de grande na arte, parece-me o maior de todos no ofício da cozinha", prosseguiria trabalhando como *chef de cuisine* para o príncipe de Condé. Até que chegou o dia amaldiçoado, sexta-feira, 24 de abril de 1671 — dez anos após a festança fatídica do ex-patrão. Dia de tanta má sorte que nem toda a arruda do mundo poderia ajudá-lo.

Luís XIV era hóspede de honra em Chantilly, região de Flandres. À noite, no castelo, não houve a esperada abundância de assados e carnes de caça. A quantidade de pescados também era mínima. Vatel culpou-se, já convencido da súbita perda de prestígio. "Não posso suportar esta afronta", disse, "depois de atravessar doze dias quase sem dormir por causa dos trabalhos de preparação do banquete real." A não-entrega de outra parte dos produtos até as quatro da madrugada piorou ainda mais a situação. O infeliz correu a seus aposentos, desembainhou a espada e, apoiando-a na porta, atirou-se com força contra a lâmina, feito um samurai francês.

Ironia. Enquanto ele estrebuchava, peixes em profusão, encomendados em diferentes locais da costa normanda, começavam a chegar. A morte de Vatel foi chorada amargamente pelo príncipe de Condé, que se viu sem o competente empregado em uma circunstância especial como aquela. Vatel entrou para a história. Ainda hoje, ao encontrar um *chef remarquable*, os franceses exclamam: "É um verdadeiro Vatel".

Ostras em Fricassê

Extraída de uma novela de Charles de Coster sobre a vida na região de Flandres durante a ocupação espanhola no século XVI.

Ferva as ostras rapidamente. Retire as conchas e ponha as ostras com delicadeza em uma panelinha. Tampe o mais hermeticamente possível e deixe cozinhar. O ideal seria vedar com papel-alumínio. Depois do cozimento, acrescente cerveja (em temperatura ambiente) aos poucos, a parte branca de uns talos de salsão e 1 colher cheia de farinha de trigo (dissolvida antes na cerveja). Leve ao forno fatias de pão, lambuzadas de manteiga e pimenta-do-reino moída. À parte, cozinhe ao dente 200 g de spaghetti. Condimente com salsa picada, mais manteiga e mais pimenta-do-reino. Misture tudo às ostras cozidas e sirva. Acompanhe a massa com pão italiano torrado e gomos de limão para espremer por cima.

Ravioli com Endívias

800 g de ravioli
1 copo de leite
150 g de carne de porco sem gordura
1 cebola pequena ralada
1 cenoura pequena ralada
1 talo de salsão
3 gemas

2 claras de ovos
2 folhas de louro
4 pés de endívias
parmesão ralado
100 g de manteiga
pimenta-do-reino
noz-moscada
sal

Amoleça as endívias no vapor. Aperte-as para retirar a água. Noutra panela, junte a carne de porco (em pedaços), a cebola, a cenoura, o salsão picado, 50 g de manteiga e as folhas de louro. Cozinhe até começar a dourar. Passe tudo na máquina de moer. Reserve. Pique bem as endívias e frite-as rapidamente em 50 g de manteiga, pimenta-do-reino, sal e pitadas de noz-moscada, até não sobrar nenhum líquido na frigideira. Ponha-as no liquidificador, junto à mistura feita com a carne de porco, adicionando o leite, o queijo ralado e os ovos, e bata até obter um creme. Banhe os raviólis ao dente com esse molho, espalhe mais queijo por cima e leve à mesa.

Tagliatelle ai Calamaretti

500 g de tagliatelle
400 g de sépias pequenas
80 g de manteiga
100 g de rúcula
20 g de salsa picada
1 cebola
70 ml de vinho branco seco
sal

Ponha na panela metade da manteiga, a cebola ralada e as sépias (previamente limpas, salgadas e fervidas em fogo forte). Adicione o vinho e a salsa. Quando o vinho evaporar, junte a manteiga restante e a rúcula cortada finíssima. Deixe apenas por 2 minutos no fogo. Cozinhe as tagliatelle, escorra e una ao molho. Mantenha a panela no fogo forte durante 2 minutos. Sirva logo.

Spaghetti com Camembert

500 g de spaghetti

1/2 litro de creme de leite

1 1/2 colher de creme de leite (para servir)

1 queijo camembert

1/2 colher (chá) de gengibre ralado

3 talos de salsão

sal

Bata no liquidificador o creme de leite, o camembert, o gengibre e os talos de salsão. Acerte o sal. Reserve. Cozinhe os spaghetti ao dente. Despeje no creme liquidificado um mínimo de água do cozimento do macarrão e bata de novo. Misture aos spaghetti e sirva bem quente. Adicione, 10 segundos antes de levar à mesa, 1 1/2 colher de creme de leite.

QUERO BUZINAR MEU CALHAMBEQUE

Não sei dirigir. Não entendo nada de motores. Nunca me interessei por corridas. Jamais soube o número da chapa do carro de Aldo Federico. Para mim, automóvel significa assentos e quatro rodas que me transportam para onde preciso ir. Mas sou vidrada em carros velhos, daqueles que hoje parecem absurdos, e confesso que adoraria ter um calhambeque. Quando vejo algum, paro o dono e pergunto o preço.

Caminhando certa vez pelas ruas de Montevidéu (o Uruguai é o paraíso dos carros antigos), me deparei com um feinho, feinho, cuja pintura estava bem estragada. Pelos meus cálculos, seria ano 38, por aí. Aproximei-me de um *muchacho* encostado naquela relíquia e indaguei qual seria o valor do carro. "Oitocentos e setenta pesos", disse ele, e contou que encontraria modelos iguais na cidade de Maldonado. A minha alma encheu-se de esperanças: por 870 pesos eu poderia realizar meu sonho! O motor? Isso se veria depois. A pintura? Retoques. Dirigir? Contrataria o motorista adequado. Mas logo a seguir percebi a confusão: o rapaz tinha me dado o preço da bicicleta dele, estacionada ali perto. Quanto ao carro, ignorava sua marca, valor ou a quem pertencia.

De qualquer modo, ainda não consegui o meu calhambeque, já fui a feliz proprietária de uma bicicleta. Isso aconteceu em Roma, durante um verão de guerra, com poucos carros nas ruas em razão da falta de combustível. Em um de meus primeiros passeios, fui com a minha turma à via Ápia, onde, impulsionados pela alegria do champanhe, batizamos a bicicleta de Corsiero, ou seja, "corcel". Toda preta e bastante cobiçada, acompanhou-me por toda a guerra. Chegou a passar um inverno escondida sob um monte de lenha, já que havia possibilidade de que fosse levada pelos alemães. Foi essa mesma bicicleta que serviu a Aldo Federico em seus trabalhos provisórios entre a ocupação alemã e a americana. Mais tarde, sempre conosco, Corsiero fez sua *rentrée* triunfal em Roma, em cima de um caminhão, entre sacos de batatas e caixas de livros antigos. Roma saía do pesadelo, Roma brilhava graças à confusão da esperança. Anos depois, a bicicleta passou para meu irmão, que a utilizou por algum tempo e então resolveu vendê-la. Anunciou no jornal e incumbiu o zelador do edifício de mostrá-la aos interessados. Mas os tempos ainda eram difíceis. O primeiro que apareceu quis dar uma volta na bicicleta para checar freios, pneus e selim. O zelador consentiu. O virtual comprador saiu pedalando pela rua até virar um pontinho ao longe. Sumiu para sempre com Corsiero, aquele corcel de duas rodas que me levou de um lado para outro como um Pégaso fiel.

Há pouco tempo, em meio a outros papéis perdidos, encontrei uma foto da minha querida Corsiero, ladeada por três personagens lastimáveis: magros, de cabelos mal cortados, vestindo roupas grandes demais — a própria imagem da guerra. Os três, porém, estão sorrindo. Somos eu, Aldo Federico e meu irmão, contemplando o futuro. E Corsiero bem perto de nós.

Saudade, Corsiero!

Recchitelle alla Salvia Reale

500 g de recchitelle
200 g de manteiga
300 g de favas frescas
3 filés de anchova
1 maço grande de sálvia
3 conchas de molho básico de tomate (receita à página 80)

6 folhas de manjericão
1 dente de alho
pimenta-do-reino
parmesão ralado
sal

Frite na manteiga o dente de alho e o maço de sálvia fresca. Depois de 3 minutos acrescente as favas já debulhadas e fervidas, o manjericão, o sal (se necessário) e as anchovas. Reserve. Passe no liquidificador o molho básico de tomate, juntando os ingredientes fritos. Cozinhe as recchitelle, escorra e tempere com o molho. Sirva com queijo ralado e pimenta-do-reino moída na hora.

Tortellini de Frango, Sálvia e Tomate

750 g de tortellini de frango
1 kg de tomate
200 g de manteiga
1 colher (chá) de maisena
1/2 colher de açúcar
45 folhas de sálvia
500 g de creme de leite
queijo ralado
1 colher de sal

Ferva por 7 minutos os tomates sem pele, o sal e o açúcar. Passe no liquidificador, engrosse com a maisena dissolvida em um pouco de creme de leite. Acrescente o restante do creme e a sálvia (já frita na manteiga, sem dou-

rar). Cozinhe bem os tortellini, escorra-os e condimente primeiro com queijo ralado e depois com o molho.

Trouxinhas de Ricota e Spaghetti

200 g de spaghetti

massa de ricota e manteiga (receita à página 139)

80 g de ricota

queijo ralado

15 ou mais folhas de sálvia

2 colheres de azeite

2 colheres de manteiga

1 ovo

sal

pimenta-do-reino (opcional)

Com um dia de antecedência, prepare a massa de ricota e manteiga. Frite as folhas de sálvia rapidamente na manteiga (separe antes uma quantidade de folhas cruas equivalente ao número de trouxinhas que serão preparadas). Abra a massa na espessura de 0,5 cm e corte quadrados de 12 cm. À parte, desmanche a ricota com um garfo, acrescente 1 ovo, bastante queijo ralado, sal e, se quiser, 1 colher (café) de pimenta-do-reino moída. Quebre os spaghetti em pedacinhos de 3 ou 4 cm, cozinhe, escorra, misture-os à manteiga, à sálvia frita, a 2 colheres de azeite, a mais queijo ralado e à ricota preparada com o ovo. Ponha um pouco desse recheio no centro dos quadrados de massa.

Por cima, arrume 1 folha de sálvia. Junte as 4 pontas da massa e aperte-as entre dois dedos para fechar as trouxinhas. Doure-as com pinceladas de gema e leve ao forno médio, apoiando-as em placa untada. Cerca de 15 minutos depois, ponha no forno uma panela com um pouco de água para produzir vapor.

OURO DE TOLOS

Entre as muitas pelejas ideológicas no tempo de Mussolini, a guerra na África Oriental, na metade da década de 30, foi — apenas para ele — a mais afortunada. Naquele tempo, a maioria dos italianos ainda era fascista. "Amor à pátria" não era expressão vã. Acreditava-se, vejam só, na seriedade dos sentimentos e das intenções.

Fortalecido com a retórica, entusiasmado pelo próprio carisma e pelo fascínio que exercia sobre o povo, Il Duce chegava fardado a rigor e falava no balcão do Palazzo Venezia, atiçando seus subjugados na praça. Durante esses momentos de empolgação pedia aos seguidores — todos em camisas pretas — que se mantivessem unidos e lutassem pela pátria, não interessava a maneira como o fizessem. E foi num desses momentos também que os exortou a doar, nos chamados "altares da pátria" (surgidos como por encanto em todas as cidades italianas), suas jóias e metais preciosos. Qualquer peça seria bem-vinda. Homens e mulheres obedeceram prontamente. Mães, esposas e viúvas, com olhos úmidos de emoção, desfaziam-se de suas alianças ou jóias de família. O desejo de sacrifício era tão contagiante que até mesmo a suposta rainha tirou dos dedos sua aliança e o anel real, ofertando-os à causa fascista.

Pode-se pensar que tal idéia surgiu naquele período. Mas não foi o que ocorreu. O mesmo tipo de "convocação" foi feito na Roma antiga durante a guerra contra os cartagineses: a população empenhou-se em arrancar grades, portais e estátuas de ferro que servissem para forjar canhões. Pouco se importavam de destruir obras de arte. Na louca entrega, pereceram inclusive utensílios em cobre das cozinhas romanas. Orgulho das famílias, as baterias de panelas, panelinhas e panelões que cobriam as paredes viraram artefatos bélicos.

Adiantando a ampulheta do tempo, foi na época do triste fascismo que o renomado restaurante Alfredo alla Chiesa Nova brindou o Duce (e a pátria!) com seus talheres em ouro maciço. Eram os mesmos talheres com que o mestre Alfredo mexia para os clientes o apreciadíssimo Fettuccine al Triplo Burro. Agora, a marca Alfredo instalou-se em frente à igreja de Santa Maria in Trastevere. Os mesmos talheres de ouro foram readquiridos do governo e são utilizados em raras ocasiões. Quanto às receitas famosas, até a conhecidíssima sucursal do restaurante em Nova York oferece por treze dólares uma porção de seu legendário Pennarelle all'Arrabbiatta.

PENNARELLE ALL'ARRABBIATA

500 g de penne
6 dentes de alho
azeite
400 g de cebola
400 g de cenoura
2 talos pequenos de salsão (a parte branca)
1 punhado de salsa
2 colheres (chá) de açúcar
700 g de tomates firmes
8 pimentas dedo-de-moça sem sementes
parmesão ralado
150 g de purê de tomate
sal

Por 2 minutos, frite em fogo alto os dentes de alho (sem casca e inteiros), com bastante óleo. Junte as cebolas e as cenouras raladas grossas, o salsão cortado em pedaços de 6 cm, bastante salsa e as 8 pimentas picadas. Frite em fogo forte sem dourar. Adicione os tomates (sem pele) cortados em cubos médios. Mantenha em fogo alto, mexendo com colher de pau, até a cebola ficar transparente (a cenoura não deve amolecer). Misture sempre, com cuidado para que o molho não seque (se isso ocorrer, acrescente água fervendo, 1 colher por vez). Cinco minutos antes de retirar do fogo, junte o purê de tomate, mais salsa picada, sal e o açúcar para tirar a acidez do tomate. Cozinhe as penne ao dente. Retire do fogo, escorra, misture com um pouco de azeite cru e acrescente o molho. Sirva acompanhado de queijo ralado.

DUBLÊ DE PEIXE

Minha família deixou Roma no primeiro bombardeio da guerra e refugiou-se na pequena L'Aquila, a cidade de Aldo Federico. Acompanhávamos pelo rádio, com o coração na boca, o avanço das tropas americanas. Chegou então o dia. Roma, já libertada, receberia seus desgarrados de volta. Tudo ainda era precário, difícil. As estradas devastadas por crateras, as pontes e os trens destruídos. Mas a ânsia de regressar era imensa. Na falta de um transporte organizado, cada um inventava um jeito de viajar e a aventura começava. Meu pai e Aldo já se encontravam na capital. Eu, minha mãe e meu irmão partimos em direção à Roma prometida no alto de um caminhão militar americano, a bagagem no meio do carregamento. O veículo era descoberto, ficamos expostos ao frio e à chuva.

Nossa bagagem não eram malas Vuitton, mas três sacos com 59 quilos de batatas, um caixote de maçãs, banha de porco, dois queijos grandes e três sacolas com livros trazidos do sótão de meu sogro. A felicidade nos escoltava. O momento significava o fim do trágico capítulo da guerra. O que estava por vir seria difícil, mas aquelas batatas ajudariam muitíssimo. Inventamos uma receita para substituir a carne, artigo impossível de comprar, utilizando ovos em pó e latas de atum americano — um pouco do que o mercado negro arrancava dos Aliados.

Falso Peixe de Batatas

Ferva 1 kg de batatas com casca. Tire a pele e amasse como purê. Ponha 1 colher (chá) de manteiga numa panela e acrescente o purê. Mexa em fogo forte por 2 minutos, para retirar a umidade. Adicione sal, pimenta-do-reino moída, azeite, suco de limão, 1 colher de salsa picada, 3 colheres de alcaparras esmagadas, uma lata de atum esfarelado. Deposite numa travessa e, com as mãos untadas de azeite, dê à mistura a forma de um peixe. Na boca, coloque uma rodela de limão. Três alcaparras juntinhas formarão o olho. O corpo será recoberto com rodelas de alho-poró, cortadas finas na parte branca. Sirva com maionese, à qual se terá acrescentado o sumo de meio limão.

Tagliarini com Atum

500 g de tagliarini
80 g de manteiga
150 g de atum em lata
6 anchovas
1 colher de salsa picada
1/2 copo de óleo
sal
pimenta-do-reino

Em panela pequena, esquente o óleo e a manteiga. Acrescente o atum esmagado e as anchovas picadas. Quando ferver, agregue a salsa, o sal e a pimenta-do-reino. Cozinhe os tagliarini ao dente, escorra e condimente com esse composto.

Mostaccioli Giganti com Atum

600 g de mostaccioli
150 g de atum em lata
150 g de azeitonas verdes
10 g de alcaparras
100 ml de azeite
2 dentes de alho
1 copo pequeno de purê de tomate
óleo
sal
pimenta-do-reino a gosto

Doure o alho no azeite. Acrescente o atum escorrido e esmagado, um tantinho de óleo e mexa no fogo alto por 2 minutos. Adicione o purê de tomate, as alcaparras (lavadas antes para retirar o sal), as azeitonas descaroçadas e picadas, e o sal. Deixe mais 3 minutos, mexendo para encorpar. Cozinhe a massa ao dente e agregue à panela do molho. Mexa 1 minuto mais no fogo. Sirva com pimenta-do-reino à parte.

Spaghetti con Tonno e Funghi Secchi

500 g de spaghetti
70 g de bacon magro defumado
100 g de atum com óleo (em lata)
200 g de funghi secchi
3 dentes de alho

pimenta-do-reino

$1/2$ colher de sal

parmesão ralado

azeite

Doure o alho em pouco óleo, acrescentando o bacon picado, o sal, pimenta-do-reino e os funghi secchi (previamente reidratados por $1/2$ hora e cortados grossos). Cozinhe tudo por 8 minutos e adicione o atum esmagado, deixando no fogo mais 2 minutos. Junte os spaghetti preparados ao dente a esse molho, com parmesão a gosto.

Verão de 41

Férias durante a guerra. Minha mãe optou por uma aldeia rodeada de bosques e repleta de casas medievais. Sobre aquela pequena comunidade, debruçava-se um palacete seiscentista que pertencera à família dos marqueses Tittoni. Havia ainda uma praça: a piazza Tittonia, com jardim e uma estátua do general Mancilio Mauro Lodovico Tittoni, o qual por volta de 1870, a mando das tropas papais, enfrentou Garibaldi. O que mais? O cinema Tittoni, um bar e um hospital com o mesmo nome. Aliás, as mulheres da aldeia recebiam nomes como Isabella, Eleonora ou Mafalda. Os homens eram batizados de Inigo, Clorivaldo, Martiniano ou Venceslau. *Tutti quanti* da mesma família Tittoni.

A vida corria pacata. Entretanto, poucos anos antes surgira o fato novo: o cinema italiano havia descoberto os frondosos bosques locais, onde árvores seculares deixavam espaço suficiente para galopes a cavalo. Como, logicamente — por causa da guerra —, não podiam se exibir filmes americanos na Itália, o cinema nacional aproveitava e criava fitas de propaganda, de guerra e até históricos. Cinecittà sempre conseguia pretextos para rodar trechos de suas produções naquele cenário ideal. Manziana parecia arremedo de Hollywood: atores e figurantes caminhavam pela rua principal vestidos segundo o papel que representavam nos filmes. Sentados às mesas do café, tomavam vermute com sanduíche, comiam massas ao creme e sorviam Campari. Lânguidas, as moças da aldeia batiam pestanas na direção daqueles galãs.

Sonhavam com romances — que aconteciam e duravam tanto quanto suspiros.

Era esse o clima da aldeia onde estávamos quando ali apareceu um diretor chamado Blasetti e sua trupe. A atriz principal, Mariella Lotti, era alta, loura e chegara às telas por meio de um concurso. O pior é que ela usava a mesma marca do meu batom.

O filme, cujo título era *A coroa de ferro*, passava-se na Idade Média. Nos bosques, o elenco misturava-se a veranistas. Alguns dos curiosos viravam figurantes. Lembro das incontáveis repetições do episódio com uma velhinha de voz trêmula em uma torre cenográfica. Havia ainda um cômico famoso, Almirante, velhote baixinho, seco e com pernas finíssimas. Em certo *take*, vestido de bobo da corte, ele saltava e bailava, cheio de tremeliques, recitando os sábios versos:

Parla più di quel che sai,
mostra più di quel che hai,
e cosi ti troverai
tu a cavallo... e gli altri a pié!

Falas mais do que sabes,
mostras mais do que tens,
e assim te encontrarás
a cavalo... e os outros a pé!

O almoço da trupe estelar vinha da piazza Tittoni, do restaurante que também se chamava Tittoni. De cozinha rústica, oferecia excelentes Tagliatelle con Funghi e Piselli alla Tittoni. Os *funghi*, recolhidos nos bosques, rivalizavam com os *porcini* frescos, grandes e convidativos. Ainda bem que eram infinitamente mais bem resolvidos do que aquelas tontas produções.

Tagliatelle Tittoni

500 g de tagliatelle
350 g de alcachofras
350 g de cogumelos frescos

350 g de ervilhas frescas

1/2 colher de açúcar

4 dentes de alho

2 colheres de salsa picada

pimenta-do-reino

4 colheres de azeite

1 colher de manteiga

sal

20 folhas de sálvia

150 g de creme de leite

4 conchas de molho básico de tomate (receita à página 80)

parmesão ralado

Cozinhe juntos os cogumelos, as alcachofras e as ervilhas, em 1 1/2 copo de água, no azeite e em 50 g de creme de leite. Apague o fogo quando a água estiver prestes a evaporar por completo. Frite por 1 minuto os dentes de alho (picados finíssimos) e as folhas de sálvia, com 1 colher de manteiga. Apague o fogo e adicione a salsa, agregando tudo ao molho preparado com os cogumelos. Acrescente as conchas de molho básico de tomate (metade passada no liquidificador), juntando mais 100 ml de creme de leite, o açúcar e sal e pimenta a gosto. Misture tudo às tagliatelle e sirva com parmesão ralado.

Kartoffelsuppe

300 g de batata

4 colheres de farinha de trigo

1/2 copo de azeite

180 g de manteiga

1 1/2 litro de leite

sal

queijo ralado

alho-poró

Ponha a farinha de trigo em panela grande, acenda o fogo médio e trabalhe bem com colher de pau para que não queime. Assim que ficar levemente dourada, junte a manteiga e dissolva-a junto, mexendo sempre. Então acrescente o azeite. Siga mexendo. Despeje o leite bem quente, aos poucos. À parte, cozinhe antes, em pouquíssima água, as batatas sem casca e cortadas. No final, misture tudo e tempere com sal. Sirva em sopeira, com queijo ralado de um único tipo ou de tipos diferentes. Acompanhe e enfeite com rodelas finíssimas de alho-poró.

Suflê Louis-Philippe

300 g de tagliatelle

150 g de manteiga

4 ovos

180 g de parmesão ralado

40 g de farinha de trigo

3/4 de litro de leite

sal

pimenta-do-reino

noz-moscada

Derreta 75 g de manteiga, incorpore a metade do parmesão, mexa até ficar cremoso. Junte a farinha de trigo, misturando continuamente. Acrescente aos poucos o leite morno, sal, pimenta-do-reino e pitadas de noz-moscada. Cozinhe por 15 minutos. Ao retirar do fogo, adicione mais 75 g de manteiga, a outra metade do parmesão e as gemas dos ovos. Bata as claras em ponto de neve e una à massa delicadamente. Cozinhe as tagliatelle ao dente. Escorra-as e incorpore-as pouco a pouco ao creme produzido. Despeje em fôrma de suflê (untada com manteiga), alisando a superfície. Leve ao forno à temperatura de 200° C durante 20 minutos. Sirva logo a seguir para que não murche.

AS CRUZADAS CONTRA O MACARRÃO

Giovanni da Vigo, há quatrocentos anos, foi o primeiro a escrever contra a massa e as suas influências nefastas. Mais tarde, o religioso Girolamo Savonarola condenava do púlpito os prazeres da gastronomia e, conseqüentemente, as pastas, os molhos, os queijos. A fim de salvar as almas, ele pretendia moderar com rigor os prazeres da gula. Schopenhauer foi outro pessimista que não aceitava a massa. Na seqüência, chegou a vez de Marinetti, o futurista fascista, autor de um manifesto sobre o ideal do *novo italiano*. O ruído das máquinas, o rugir dos motores, os aviões, o metal, serviriam de modelo para tentar redirecionar a cultura italiana.

A pasta, símbolo de uma vida pacífica, deveria ser substituída por pratos mais modernos, belicosos e estimulantes. Formas inéditas de apresentação, fragrâncias estrepitosas e músicas estranhas impulsionariam os homens para um caminho aproximado das artes e para uma existência decidida e viril. Para Filippo Marinetti, a *pastasciutta* — embora de sabor agradável — era comida obsoleta. Ele exigia receitas com nomes modernos, criadas por futuristas sabidos. Transcreverei aqui o nome de algumas: *Aerovivanda* (aeromanjar), *Fragolamammella* (morangopeito), *Uomodonnamezzanotte* (homemulhermeianoite), Bombardeio de Adrianópolis, Queima-Boca, Carnescultura etc.

O *Manifesto della cucina futurista* foi publicado em Turim, em dezembro de 1930. Quantos italianos levaram a sério esses loucos inovadores? Na pacata província de Turim dessa época, por certo foram poucos: apenas uma trupe de artistas plásticos, literatos e rebeldes. Turim, a cidade mais conservadora da Itália, fiel a seu rei destronado, à sua nobreza, enfrentava no período uma das recessões mais violentas de sua história. Os que pensavam na crise econômica que invadia o mundo, os que lutavam para alimentar a família, não podiam achar nenhuma graça em receitas como a do Porco Excitado, na qual se desperdiçava o cobiçado café para jogá-lo sobre fatias de salame cru. E quem, podendo comprar um artigo supérfluo como a água-de-colônia, a diluiria no café, no lugar da água?

Loucos maravilhosos, divertiam-se às custas dos outros. Eu era pequena, mas lembro das aborrecidas e acaloradas discussões na hora do almoço sobre esses assuntos. Posso dizer que alguns italianos foram bobos e passivos, a ponto de aceitar os delírios do futurismo — que hoje parecem brincadeiras arrojadas. Do mesmo modo que dois anos antes, durante outro prenúncio de crise, muitos, enfeitiçados, acreditaram em um tal de Benito Mussolini. Só que este, infelizmente, teve a chance de transmitir seu legado maligno.

Recordo meu pai com seu chapéu cinza, com fita de seda preta. Ele e todos os homens de Roma exibiam nos chapéus, entre o feltro e a fita, cartões brancos com um grande "sim" estampado em preto. E todos usavam chapéu! Era o "sim" de apoio, de aceitação, de consentimento, de louvor, de aprovação ao surgimento do regime fascista. Era um "sim" que anunciava tristemente o negror dos tempos vindouros.

Para desanuviar esse passado complicado, recuperei duas receitas que descrevem as intenções e as possibilidades estéticas comandadas por Marinetti.

Porco Excitado

Receita dos futuristas italianos

Sirva um salame cru sem pele, cobrindo-o com café (líquido) preparado em muita água-de-colônia.

Carne Crua Dilacerada pelo Som de Corneta

O convidado come um pouco de carne crua (do tipo bife tártaro). Depois, pega uma corneta e emite notas impetuosas e guerreiras. Segue comendo outro tanto de carne e soa novamente a corneta. Repete a performance até a carne acabar.

Não vou reproduzir outras receitas, nem acredito que Mussolini, adepto entusiasta do futurismo, gostasse delas, pois era inclinado a meras frutas, verduras e leite morno. O que ele, o autoproclamado Pai da Pátria, exigia era "filhos" mais espartanos e preparados para eventuais asperezas da vida. Seria a transformação final do ultrapassado modelo italiano em um supostamente modernizante. Os preguiçosos, os ociosos, os sonolentos e os gordos (tudo culpa da massa!) seriam substituídos pelo ideal fascista: o homem afoito, ágil e magro, apto à guerra e ao combate. Mas deixemos de bobagens e vamos atacar coisas mais interessantes.

Fusilli com Rúcula e Atum

Acrescente a 500 g de fusilli azeite, parmesão ralado, 2 latas de atum escorrido e amassado, e 1/2 maço de rúcula (só as folhas) cozido no vapor por 1 minuto e cortado em pedaços grandes. Prove e corrija o sal.

Ravioli de Ricota com Leite de Coco

600 g de ravioli de ricota
6 colheres de coco ralado embebido em leite
queijo parmesão ralado
1 copo de creme de leite

½ litro de leite de coco

6 pimentões amarelos grandes, sem pele e em tiras

sal

½ colher (chá) de gengibre (opcional)

pimenta-do-reino (opcional)

Cozinhe bem o ravioli. Misture com bastante parmesão, o coco ralado, o leite de coco e o creme de leite. Enfeite com os pimentões. Sirva com mais queijo ralado. (Opcional: agregue à massa ½ colher (chá) de gengibre e pimenta-do-reino.) Prove o sal e corrija.

Rigatoncini Tranchãs

500 g de rigatoncini medianos

5 conchas de molho básico de tomate (receita à página 80)

1 maço de aspargos no vapor (só pontas verdes)

½ folha de repolho roxo picada

1 folha de repolho verde picada

½ folha de repolho branco picada

1 trufa preta (ralada finíssima)

150 g de salame magro e seco

azeite

sal

Acrescente as conchas de molho de tomate à água do cozimento dos rigatoncini. Escorra-os não muito ao dente. Junte-os ao azeite e a todos os outros ingredientes. Deixe esfriar e sirva.

HISTÓRIA DE UM BEIJO ROUBADO

Era 5 de julho. Pela manhã, ao acordar, encontrei um vaso de flores cor-de-rosa. E no cartão que o acompanhava, a frase "Hipotequei 52 anos, mas valeu". Evidentemente, alguém de poucas palavras e idéias claras.

Isso me lembrou outra ocasião, quando Aldo Federico decidiu comemorar — cinqüenta anos depois — um fato esquecido: o primeiro beijo que ele deu em certa moça. Organizou, então, um *assalto* para mim. Assim são chamadas as festas-surpresas na Argentina. Eu, que esperava apenas um casal de amigos para uma rodada de conhaque, deparei com mais de trinta pessoas. E é óbvio que Aldo Federico não havia preparado nada para servir, já que essa parte não integra seus interesses. Rapidamente tive que aprontar uma Pasta aos Quatro Molhos para retribuir o carinho de todos. Era domingo, e não havia ninguém para me ajudar, mas "amor, com amor se paga".

Agora, voltemos ao beijo. Fazia quatro anos que conhecia Aldo Federico. Éramos amigos no significado mais simples da palavra: amigo é aquele que serve para dar conselhos, emprestar o ombro na hora da tristeza, dar um recado incômodo, ajudar a organizar uma festinha, acompanhar ao cinema, ao boxe, a um concerto, e assim por diante. Nessa condição, fomos juntos comprar o que ele necessitava para partir rumo à guerra: relógio, cantil de bolso em metal, uma colher para submergir chá no bule (ainda não existiam os saquinhos de papel), um isqueiro forrado de pele de javali e no qual havia a adequada frase "Good luck" impressa, um cinto da loja mais cara de Roma, e pronto.

Depois do cinto, o dinheiro não deu para mais nada. Como se pode notar, enfrentava-se a guerra de muitas maneiras.

Aldo seguiu para a região que atualmente constitui a malfadada Bósnia. Permaneceu algum tempo com as tropas italianas de ocupação e retornou para seus exames na faculdade. Era julho. Todo dia íamos ver o mar na região de Óstia, perto de Roma. Eu precisava daquele ombro amigo. Saída de um fracasso amoroso, decidira dar um tempo para o meu coração. Aldo, ao contrário, queria aproveitar a praia, o sol, os passeios, os últimos dias de folga. Como se sabe, o coração não se entusiasma sozinho quando diante do mar. E em um pôr-do-sol Aldo fez sua declaração concisa — ele sempre foi de falar pouco. Mas eu preferi continuar mantendo a pausa no amor. O tempo corria, Aldo devia voltar para a guerra. Em seu último dia em Roma, ele soube que o sargento que o subsituíra em seu posto na Bósnia havia sucumbido na mão dos sérvios.

Despedidas são sempre melancólicas. Em frente ao elevador da minha casa, à noite, antes de tomar o trem para regressar à base na Iugoslávia, Aldo Federico tentava esconder os seus pesadelos e a sua tristeza. Com um sorriso estereotipado (método que ainda usa quando quer disfarçar o que sente), e sem dizer nada ele me deu o primeiro beijo. Participei? Não. Apenas aceitei. Pensava no destino de seu amigo morto. Aldo estava indo embora. Eu jamais suportaria o remorso se lhe tivesse negado o carinho e a ilusão de um namoro. E se por acaso também lhe acontecesse uma desgraça? Durante anos, no quinto dia de cada mês, nos presenteamos com um livro. Com o tempo, esquecemos esse costume bonito. A forte emoção ressurgiu quando ele organizou o *assalto*. Ainda bem que dessa vez escreveu que tudo valera a pena. E assinou!

Fusilli com Sálvia

15 folhas de sálvia

1/4 de litro de creme de leite (ou iogurte com 50 g de manteiga)

pimenta-do-reino

parmesão ralado

azeite

sal

Frite as folhas de sálvia rapidamente no azeite e misture-as aos fusilli. Acrescente o creme de leite (ou o iogurte com manteiga), pimenta-do-reino e sal. Sirva com parmesão ralado.

Rigatoni com Bacon e Pecorino

150 g de manteiga

200 g de bacon magro picado

15 folhas de sálvia

queijo pecorino ralado

sal

Frite por 10 minutos o bacon e a sálvia na manteiga, em fogo baixo, sem dourar. Misture os rigatoni e corrija o sal. Sirva acompanhado de queijo pecorino ralado.

Opção para 500 g de Recchitelle

6 folhas de manjericão

1 dente de alho

1 anchova esmagada

1/2 copo de azeite

10 folhas de sálvia

50 g de manteiga

1 concha de molho básico de tomate (receita à página 80)

parmesão ralado

1/4 de copo de azeite (para servir)

sal

Por 2 minutos, frite no azeite o dente de alho picado e a anchova picada. Acrescente as folhas de manjericão, as de sálvia e meio copo de água. Cozinhe as recchitelle, misture-as com a manteiga, regue com o molho de anchova e o de tomate. Experimente o sal. Sirva com um fio de azeite por cima e queijo ralado.

PASTA NON CONSUMATA

Sem contar os discursos que fazia no balcão do palácio da piazza Venezia ou nas aparições nos filmes Luce com pose de *condottiere*, Mussolini às vezes podia ser visto de perto pelos italianos. O país era tão modesto ainda que parecia fácil saber como as pessoas se relacionavam. Por duas vezes topei com o líder fascista.

Ano de 1928. Era menina em férias no balneário de Riccione. Andando pela praia de mãos dadas, eu e meus pais, passamos por um guarda-sol à beira-mar. E ali estava ele, com a mulher, Rachele, e os dois filhos gêmeos, sentados na areia como qualquer outra família pequeno-burguesa, próximos ao contato de uma ideologia que ele, o Duce, tanto desprezava. "Olhem", disse o meu pai, "é Mussolini!" E seguimos.

Depois do 25 de julho de 1943, a queda do regime fascista levou Mussolini à prisão. O novo governo da Itália enfrentava momentos difíceis. Para escapar às bombas que caíam sobre Roma e ao medo de eventos piores, procuramos abrigo na montanha mais alta dos Apeninos. Hotel lindo, comida boa. Tratávamos de esquecer as complicações em longos passeios pelo campo. O fim da guerra parecia próximo.

Naquela época as rádios tocavam uma bela canção, "Illusione, dolce chimera sei tu". Dias depois, à hora do almoço, mal começáramos a encarar o macarrão fumegante das travessas, uma ordem surgiu nos alto-falantes. Teríamos vinte minutos para preparar malas e cuias, e correr rumo ao funicular. O hotel, única construção do local, seria evacuado por "razões de guerra". Abandonada a mesa, o talharim, o salão, partimos acelerados e obedientes. Todos os hóspedes, mais o staff do hotel, encontraram-se sob o monte da estação do funicular, próxima a poucos casebres.

Na região, soldados e veículos militares. Mistério. Grande confusão. Descobriríamos mais tarde que o governo provisório — temeroso da possibilidade de fuga — levara Benito Mussolini àquele refúgio, considerado inexpugnável. Vítimas da situação, dirigimo-nos à cidade vizinha para conseguir hospedagem menos efêmera. Instalamo-nos por pouco tempo em outro endereço: logo nos fariam bater em retirada também dali.

No entanto, o ex-Duce — justamente quando ninguém acreditava que isso pudesse acontecer — foi tirado dos Apeninos por um capitão alemão em um monomotor. Cruzar os caminhos dessa figura polêmica só me trouxe uma vantagem: a receita daquele macarrão que não comi na hora da fuga, a qual eu copiara do livro do hotel.

Tagliatelle alla Boscaiola

500 g de tagliatelle
1 cenoura
1 cebola média
1 talo de salsão
5 colheres de salsa picada
1 folha de louro
50 g de manteiga
150 g de porcini freschi (ou cogumelo shiitake)
600 g de lingüiça magra
1 copo de vinho branco seco (ou martíni)
500 g de tomates sem pele
1/5 de litro de creme de leite fresco
sal

pimenta-do-reino

parmesão ralado (abundante)

azeite

Rale finamente a cenoura e a cebola, e pique o salsão. Misture tudo, mais a salsa, deixando por 15 minutos em fogo médio com a manteiga e o louro. Acrescente os cogumelos (cortados em pedaços grandes). À parte, doure bem a lingüiça em pouco azeite, parta em rodelas e agregue ao molho. Mexa. Despeje o vinho e deixe evaporar no cozimento. Junte então os tomates (passados no liquidificador), sal e pimenta-do-reino. Tampe a panela. Cozinhe lentamente por 1 hora. Antes de apagar o fogo, despeje o creme de leite. Divida o molho em 2 partes. Ponha na panela as tagliatelle cozidas (um pouco antes de ficarem ao dente) e refogue-as por 2 minutos em metade do molho. Acomode na travessa. Espalhe o molho restante por cima. Sirva com queijo.

SE MEU PIANO FALASSE

Meu pai nunca estudou música, mas tinha bom ouvido. Sem seguir partituras, podia tocar — e com um dedo só — peças de Wagner, compositor do qual era fã ardoroso. Nos meus sete anos, ele decidiu que eu estudaria piano. Isso ampliaria, dizia meu pai, o leque de minha formação cultural. Porém, se ele gostava de música com fervor, minha mãe (para contrariá-lo) resolveu que não gostava. Eu, que me moldava às preferências maternas sem muito esforço, achei que as tais aulas de piano seriam estorvo e perda de tempo. Minariam minha liberdade. Não trariam prazer. Mas, decisão tomada, o piano entrou em casa. O Steinway ocupou seu lugar em um quarto e foi a delícia de meu pai em suas poucas horas vagas.

Aulas, duas vezes por semana. Supliciantes. Eu vivia angustiada por causa da obrigação da prática diária no teclado. Minha mãe, embora ignorasse a presença do piano em nossa casa, exigia que eu me exercitasse. Do outro lado, a professora (escolhida por dupla recomendação: mestra de primo e tia de senhorita amiga de minha mãe) virou vítima de minhas birras.

Meu maior interesse: não aprender nada. Odiava os exercícios para iniciantes, execrava as composições de Boccherini, renegava os aborrecidos solfejos que duravam quase meia hora. Lutava contra o relógio, que custava a rodar os ponteiros durante as malditas lições. Dessa maneira, eu me debruçava no piano em vão. Distraía, interrompia, entretinha a tolerante professora com conversas absurdas. Cheguei a usar a tática de elogiar as pequenas jóias e colares que ela usava, ou fazer comentários sobre o seu penteado — na verdade um emaranhado de cabelos feios e cinzentos, à moda antiga. O curinga do meu baralho era a bandeja com chá e biscoitos. Saía correndo para prepará-la e ganhar mais tempo ainda. Por longos quatro anos (tempo que demorou para meus pais me deixarem fazer as minhas próprias escolhas), suportei as aulas com obstinação, sem prestar atenção nelas.

As teclas do Steinway passaram a vibrar apenas quando recebíamos a visita de uma parente: a prima Luiza, virtuosa, que participava de concertos semiprofissionais. Meu pai continuava tocando com um dedo só, e muito satisfeito por isso. Depois de alguns anos, o instrumento virou peça mais útil: era tomado de assalto por meu irmão, que brincava de faroeste sobre a cauda, transformada em cenário de bangue-bangue. Até que um dia o piano foi vendido e retirado pela janela com o uso de cordas. Espero que tenha tido destino mais digno e adequado, que não sofra mais tantas humilhações.

Hoje, graças àquela menina teimosa e obstinada que fui, não toco piano nem leio música. Sei apenas o nome das notas.

Agora descubram qual a receita dos biscoitos com azeite e anis que distraíam aquela professora de piano idosa, a paciente (e chata) senhorita Luzzatto.

Biscoitos Salgados de Anis

Uma xícara de azeite, 2 xícaras de água, sal e pimenta-do-reino (abundantes), farinha de trigo e um punhado grande de sementes de anis. Ponha a farinha de trigo na mesa, formando um círculo. No centro, derrame aos poucos os ingredientes. Misture tudo até a massa adquirir consistência leve. Corte em pedaços grandes e enrole como tiras de nhoque. Com um rolo, estenda a massa. Depois, com os dedos, enrole-a em forma de canudos menores que o mindinho. Leve ao forno preaquecido em assadeira untada. Fogo médio. Deixe de 30 a 40 minutos. Quando esfriarem, guarde-os em pote de vidro.

CHOVEU NO MEU CASAMENTO

Durante a década de 30, muitas princesas (filhas e sobrinhas dos reis) da Itália se casaram. Eu não passava de uma menina, mas já sonhava com meu matrimônio: casaria de vestido branco, com uma grande gola de raposa branca, véu de tule e cauda de seda com nove metros de comprimento, a qual meninos vestidos de pajem segurariam. Pode-se ver que os deuses não impõem limites a nenhuma fantasia.

Anos depois, quando me casei de verdade, vivia-se na Itália um período de euforia. A guerra acabara e a Europa alegrava-se em um banho de esperança e sol. Meu casamento aconteceu no salão do Campidoglio — palácio romano de 1500 —, com enorme sala de pesados móveis dourados em madeira esculpida. Sentei-me com meu marido em poltronas também douradas, forradas de veludo vermelho. Mudara o sonho de menina, e eu já não desejava caudas de nove metros. Muito menos golas com peles de raposas brancas. Contudo, por cultivar um individualismo rebelde, inventei um cerimonial com pompas diferenciadas.

Diz um ditado inglês que a noiva deve usar algo vermelho, algo azul, algo emprestado e algo novo. Obedeci a todas as sugestões. Surgi de turbante vermelho emprestado, camisa azul de seda bordada em fio dourado e vermelho, e de um sobretudo, que fora cortado de uma colcha americana de lã tingida de preto, sem uso. A colcha, comprada em uma das bancas de saldos na praça de Campo di Fiori, fazia parte dos rescaldos de guerra. Comprava-se de tudo naquele lugar que séculos antes servira de palco para a fogueira em que Giordano Bruno foi queimado. No dia do casamento não quis carro, táxi ou fotógrafo. Deveria ser um dia como outro qualquer. Caminhamos a pé, debaixo de chuva leve.

Na Itália garantem que "sposa bagnata, è sposa fortunata". Mas a fiel empregada de meus pais, que tanto me prezava, rogava aos céus que parasse de cair água. Ela acreditava que só chovia durante o casamento quando a noiva não era virgem. Depois de tanta ansiedade, voltamos devidamente casados para casa. Minha mãe havia amassado umas fabulosas *tagliatelle* — talvez as mais gostosas que já comi. Eram simples, pareciam feitas só com manteiga, porém conquistaram lugar em minha memória. Bruno, que recorda as *tagliatelle* da mesma maneira fabulosa, jura que, ao contrário, estavam temperadas com molho de tomate. Engolimos às pressas o macarrão de bodas, pois como sempre eu estava atrasada e corríamos o risco de perder o ônibus. Nossa viagem de núpcias seria para o Circeu, o mesmo local onde, no tempo de Ulisses, morara a feiticeira Circe.

Tagliatelle de Casamento com Matriciana Leve

600 g de tagliatelle
200 g de manteiga
queijo parmesão ralado
sal

Cozinhe a massa em água com pouco sal, escorra ao dente, junte queijo ralado abundante e a manteiga derretida. Sirva acompanhando à parte com o molho Matriciana Leve (receita a seguir), e mais o queijo ralado.

Matriciana Leve

1 ramo de folhas de manjericão
2 kg de tomate
2 colheres de azeite
50 g de manteiga
sementes de 3 pimentas dedo-de-moça
1/2 colher de sal
1/2 colher de açúcar
250 g de bacon defumado (magro)
1 cebola média

Corte os tomates em pedaços e ferva-os por 10 minutos com a cebola, o ramo inteiro de manjericão, o sal, a pimenta, o açúcar e 2 colheres de azeite. Então retire o manjericão e a cebola. Passe os tomates no liquidificador, com algumas colheres de água quente. Acrescente na liquidificação a manteiga e o bacon, previamente picado e derretido em fogo baixo.

Tagliatelline com Cebolinhas Agridoces

Cozinhe em água e sal 500 g de tagliatelline bem ao dente e escorra. Junte 3 colheres de azeite, queijo ralado abundante e o molho das cebolas (receita a seguir). Corrija o sal. Arrume em travessa com todas as cebolinhas por cima das tagliatelline.

Cebolinhas Agridoces

1 concha de caldo de frango de tablete
1 kg de cebolas pequenas (usadas para conserva)
3 colheres de azeite
100 g de manteiga
4 colheres bem cheias de açúcar
1 a 2 copos (ou mais) de vinagre
1 cravo
sal
3 grãos de pimenta-do-reino

Derreta a manteiga e o azeite numa frigideira grande. Junte o açúcar, misturando bem. Quando a mistura se dissolver, despeje a metade do vinagre, o cravo e os grãos de pimenta-do-reino. Descasque as cebolinhas e lave-as na água. Seque com auxílio de um pano, ponha-as na frigideira em fogo forte e tampe. Cozinhe até que adquiram uma bonita cor dourada. Assim que o vinagre estiver quase consumido, despeje o restante. Por último, salgue. Vire delicadamente as cebolinhas para que dourem de maneira uniforme. Caso sequem muito, adicione (pouco a pouco) 1 concha ou mais de água quente. Apague o fogo quando estiverem cozidas. Retire-as. Para conseguir um molho espesso e caramelado, deve-se acrescentar 1 concha de caldo de frango fervendo e prosseguir esfregando o fundo da frigideira com ajuda de colher de pau.

SOGRAS RESISTEM ATÉ A TERREMOTOS

Conheci minha sogra, dona Emma, apenas por meio de histórias contadas pelos filhos, parentes e amigos. Todos oriundos da cidade de L'Aquila e unânimes em celebrar os dotes, a abnegação e a bondade daquela mulher. Casara-se com um homem bem mais velho, extremamente bonito (seria como o filho, Aldo Federico?), viúvo, com uma prole numerosíssima, que ela ajudava a criar.

O sentido do dever era regra férrea. Cotas de sacrifícios inflexíveis costumavam ser aplicadas indistintamente na família e nas coisas. Supunham que os sacrifícios, quando enfrentados com naturalidade, resultariam menos pesados. Com família tão grande para sustentar, dona Emma fazia milagres na cozinha. Garantem que era ótima. Ouvi falar de uma de suas receitas, cujos segredos jamais fiquei sabendo, pois se foram com ela: as famosas *polpetas*. Teriam cascas meio adocicadas, impossíveis de reproduzir — deixaram saudade no paladar dos filhos.

A cozinha a lenha revestia as comidas de um cheiro perdido no tempo, e nenhum acessório moderno conseguirá repeti-lo. Dona Emma, dividida entre fogão, pia e mesa, lutava para fazer os alimentos renderem mais. O verbo *poupar* era a base da precária economia familiar. Num belo dia, L'Aquila foi sacudida por um terremoto violento. A população desesperada corria pelas ruas em busca de abrigo. As empregadas, geralmente lerdas, nessa ocasião foram as primeiras a correr, abandonando aos gritos a cozinha da casa.

Última e sozinha, diante da sua panela de molho, dona Emma ficou impassível. Seria imperdoável desperdiçar comida, mesmo durante um terremoto. Inúteis foram os gritos do marido, que já estava no jardim com os filhos pequenos, exortando-a a descer: "Desça! Desça! Se morrer, o seu molho não servirá para mais ninguém!". Ela permaneceu na cozinha, imperturbável. A casa da família foi das poucas a não ruir. Em homenagem a essa supermulher, seguem três receitas trepidantes.

Molho Mezzo-Liliana

500 g de bucatini grossos (quebrados em 3 partes)

1/2 kg de carne

parmesão ralado fino

1/2 kg de cenoura

1 punhado de salsa

1 talo de salsão

350 g de tomate

1 cebola pequena

1 dente de alho

3 raminhos de sálvia

orégano (pouco)

3 folhas de louro

1 ramo pequeno de alecrim

farinha de trigo

1/2 copo de azeite

125 g de bacon defumado e magro

100 g de manteiga

casca ralada de 1 limão siciliano (ou de 1/2 limão comum)

1 copo de leite

3/4 de um copo de vermute (branco seco)

sal

1 colher (chá) de maisena (opcional)

Passe a carne na farinha de trigo e ponha numa panela junto ao alecrim, o louro, o bacon cortado e a manteiga. Doure. À parte, em outra panela, ponha no azeite a cebola e a cenoura raladas, mais o alho, os tomates e o salsão picado. Cozinhe em fogo baixo até pouco antes de a cebola ficar transparente. Acrescente a sálvia, o orégano, a casca de limão, a salsa e o sal. Despeje aos poucos (quando for necessário, para não queimar) o leite e o vermute. Retire o alecrim, o louro, o alho e a carne — que não serão mais utilizados nesta receita (dona Emma era econômica, lembrem-se). Misture os molhos das duas panelas no liquidificador. Se ficar espesso demais, adicione mais vermute. Caso contrário, acrescente 1 colher (chá) de maisena dissolvida em vermute frio e leve ao fogo por 1 minuto. Corrija o sal. Junte o molho à massa cozida ao dente e sirva com queijo ralado.

Molho ao Vermute

500 g de lasanha crespa

1 kg de carne magra

1 xícara de azeite

2 colheres de farinha de trigo

3 conchas grandes de caldo de carne

2 punhados de funghi secchi

1 prato fundo de cenoura ralada fina

1 prato fundo de cebola ralada fina

1 prato de tomate esmagado

100 g de presunto cru (picado fino)

sal

pimenta-do-reino

$1\frac{1}{2}$ dose de vermute

Doure a carne numa panela com o azeite. Após (aproximados) 40 minutos, retire a carne. Na mesma panela, ponha 2 colheres (rasas) de farinha de trigo, 2 conchas do caldo (bem quente) e os cogumelos secos (previamente deixados por algum tempo em água fervendo). Passe tudo no liquidificador, acrescentando a cenoura, a cebola e os tomates. Despeje, outra vez, tudo na panela e deixe ferver bem. Acrescente a água em que os cogumelos estiveram de molho e o restante do caldo. Passados 20 minutos, junte o presunto. Dez minutos depois, despeje 1 dose de vermute. Espere mais 20 minutos e adicione o resto do vermute. Polvilhe sal e pimenta. Cozinhe mais 10 minutos. Ferva a lasanha ao dente. Escorra. Espalhe o molho em camadas sobre a massa.

Molho de Shirin

Receita iraniana

500 g de rigatoni

1 kg de carne sem nervos

2 talos de salsão grandes

10 maços de salsa

$\frac{1}{2}$ maço de hortelã

5 cebolas picadinhas

sal

suco de 4 limões (médios, sicilianos)

azeite e manteiga (o mínimo necessário)

Pique a salsa e refogue em pouco azeite junto com as folhas de hortelã. Separadamente, frite o salsão (só a parte branca e os talos tenros, cortados em pedaços de 5 cm). Reserve. Doure as cebolas, acrescente a carne cortada em pedaços pequenos, o sal, e deixe na panela por 2 minutos. Junte a salsa e a hortelã preparadas, mais 3 colheres de água. Deixe por 5 minutos. Quando estiver quase pronto, acrescente o suco dos limões, um pouco de manteiga e o salsão frito. Retire a carne e despeje o molho sobre os rigatoni cozidos ao dente.

ÓDIO VISCERAL

Cursei dois anos da faculdade de medicina. Como todos os alunos do primeiro ano, quis logo participar das aulas práticas e, bisturi na mão, dissecar cadáveres, acompanhar cirurgias, ver vísceras. Espetáculos que os neófitos geralmente mal suportam, que provocam desmaio em alunos apavorados. Sob tamanho impacto, alguns dos futuros médicos passam a sentir aversão por pratos que levam entranhas: coração, fígado, rins, bucho etc.

Minha inconsciência juvenil, agora, parece-me fronteiriça à loucura. Hoje eu não enfrentaria aquelas experiências. Mas assevero que nunca desmaiei. E, à mesa, jamais rejeitei vísceras de animais. Pergunto-me: serei insensível ou extremamente cruel? Ora, o patê de fígado de ganso, por exemplo, é uma iguaria dos deuses — sobretudo os patês trufados. Adoro Fígado à Veneziana, Rins na Rede, miúdos de frango e até bofe (que não é só comida de cachorro).

Sempre repito que minha mãe fazia tudo com perfeição. Convidar amigos para jantar era o seu vício, que herdei. Realizava milagres. Na falta de geladeira, punha a sobremesa sobre a neve. Seu patê de fígado com trufas dos Abruzzi me parecia melhor do que foie gras francês. E foi justamente esse patê que ela serviu quando recebeu um amigo médico, Peppino.

Pois bem. O rapaz não tolerava ver — muito menos provar — entranhas de animais. Embora leigo na cozinha, desconfiou da procedência da matéria-prima daquele patê, um tijolo marrom coberto por gelatina transparente. Por mais que lhe assegurássemos que podia comer tranqüilo (juramos ser carne suína, já que havia o hábito de se criar porcos para garantir o suprimento de inverno), Peppino se negava a fazê-lo. Os outros convidados passaram a afirmar que aquela carne de porco preparada com ingredientes especiais possuía excelente sabor.

Peppino cedeu. E experimentou o patê. Saboreou-o com gosto e repetiu. Ninguém da família confessou a verdadeira natureza do prato, mas um dos presentes abriu o jogo. Peppino, disfarçando a surpresa, retrucou que também nos enganara. Na verdade, dizia lívido, sabia desde o começo que o tijolo marrom continha um dos seus alimentos proibidos. Comera, mentia o coitado, para provar que não era radical. Anos depois, soubemos que Peppino ainda nutria muita raiva pela brincadeira. Tanto que nunca voltou a procurar minha família.

Cannelloni alla Rossini

500 g de cannelloni

2/3 de litro de molho básico de tomate (receita à página 80)

1/3 de litro de molho branco (receita à página 181)

300 g de vitela

1 lata média de foie gras

1 lata média de patê de presunto

100 g de manteiga

2 cebolas raladas

3 gemas

pimenta-do-reino

parmesão ralado

sal

Frite, sem dourar, a vitela em 50 g de manteiga, junto com as cebolas. Depois, passe tudo 2 vezes no moedor de carne. Agregue a vitela moída aos patês, às gemas, salpicando pimenta-do-reino e parmesão ralado. Prove o sal. Misture bem até que adquira consistência. Recheie a massa cozida ao dente com o composto, arrume-a em travessa refratária untada com mais 50 g da manteiga e cubra com o molho de tomate e o branco. Polvilhe mais queijo e aplique pedaços pequenos de manteiga. Deixe no forno até dourar.

LA MERDE

Parentes, serpentes. A história de Cinderela o ensina com indiscutível sabedoria. Caim e Abel deram início ao pesadelo. Mas houve também Rômulo e Remo, irmãos que se queriam, que se protegeram.

Tendo poucos parentes, enfrento raras serpentes. Entre eles, só um irmão. Acostumada a ter minha mãe só para mim até os sete anos, quando aquela novidade apareceu comecei a sofrer. Minha inexperiente mãe, nada entusiasmada com a chegada do rebento, inventou — para me consolar — que quando o irmãozinho nascesse, nós o atiraríamos pela janela. Ficaríamos sós e, como nos contos de fadas, viveríamos felizes para sempre. Qual o quê! Quando o novo habitante chegou a nossa casa, para livrar-se de minha importuna persona, entregaram-me aos cuidados da babá dos filhos de uma amiga da família. Principiaram então meus passeios pelos parques da cidade como hóspede de honra, tratada com afeto. Lembro que caminhávamos pelo gramado de sítios arqueológicos. Era junho, o céu estava azul, o sol brilhava sobre as milenares ruínas da Roma antiga.

Certa manhã, saltitando feliz e despreocupada pela grama, eu colhia flores quando, horrorizada, atolei integralmente o pé, em uma merda enorme. Nem poderia usar um nome mais delicado para falar daquilo, pois não era cocô nem titica. Os meninos gritavam: "Olha! Olha, onde a Orietta pisou!". Trataram de me acalmar, limparam meu pé, mas eu continuava desesperada. O asco era tão indescritível, a repugnância, pavorosa, uma agonia imensa!

Pobre de mim, menina mimada, tímida e meiga, que sempre tivera pavor de sujeira. Muitos anos depois precisei fazer análise para superar esse meu problema. E consegui. Aprendi a ser razoável e a tirar melhor proveito das situações. Compreendi que aquela grande merda foi o primeiro presente negativo que recebi de meu irmão. Foi quase o anúncio do que viria depois.

Macarrão para Aliviar Traumas

500 g de mostaccioli (lisos ou com riscas)

250 g de anchovas

farinha de rosca

parmesão ralado

200 g de manteiga

orégano fresco (só as folhas)

sal

Separe as anchovas em filés de 4 cm. Corte papel-alumínio em quadrados de 14 cm. Cozinhe o macarrão bem ao dente em água salgada, e junte-o a quase toda a manteiga e queijo ralado. Corrija o sal. Deposite em cada papel alguns mostaccioli (10 no máximo), filés de anchovas, folhinhas de orégano, uma pontinha de farinha de rosca e um pouco de manteiga. Faça um pacotinho fechado, utilizando palitos ou não. Ponha em assadeira e passe para o forno bem quente, deixando por 5 minutos. Sirva imediatamente, antes que perca o calor.

Maccheroni ao Forno com Queijo

de *The pocket cook book*, de Elizabeth Woody

500 g de fusilli, penne lisce rigate
250 g de provolone ralado grosso
250 g de parmesão ralado grosso
queijo prato cortado em cubos
1/2 litro de leite
1 colher de azeite
sal
50 g de manteiga
pimenta-do-reino

Prepare a massa que escolheu, deixando-a pouco cozida. Misture a ela 1 colher de azeite, o provolone, o parmesão, sal e pimenta-do-reino moída na hora. Alterne, em pirex untado com a manteiga, uma camada de macarrão e outra de queijo prato, até o final. Acrescente o leite e leve ao forno bem quente. O leite deve ser completamente absorvido.

Rigatoni com Noz-Moscada

500 g de rigatoni
1/2 noz-moscada moída
pimenta-do-reino moída grossa
500 g de queijo mascarpone
3 colheres de leite
50 g de manteiga

queijo ralado (opcional)

sal

Dissolva o mascarpone no leite e reserve. Cozinhe os rigatoni ao dente e acrescente a manteiga derretida, a noz-moscada e a pimenta-do-reino. Prove o sal. Sirva acompanhado de queijo ralado e mais pimenta-do-reino.

Maccheroni au Gratin

500 g de macarrão
150 ml de creme de leite fresco
60 g de manteiga
200 g de queijo Emmental ralado
sal
pimenta-do-reino
noz-moscada

Prepare o macarrão ao dente, escorra e ponha novamente na panela, juntando o creme de leite. Cozinhe por 3 minutos. Retire do fogo, acrescente 140 g de Emmental ralado, pimenta-do-reino a gosto e pitadas de noz-moscada. Prove e corrija o sal. Ponha em pirex untado, cubra com o restante do queijo e pedacinhos de manteiga. Leve ao forno quente por poucos minutos, doure e sirva.

Tagliatelle alla Jacqueline Kennedy

40 g de tagliatelle de ovo
1 xícara de ricota de primeira
1 xícara de creme azedo
1 colher (chá) de cravo moído
2 colheres de parmesão ralado
manteiga
sal

Misture o cravo moído, o parmesão, a ricota, o creme azedo e o sal. Reserve. Cozinhe as tagliatelle bem ao dente. Escorra. Espalhe, sobre a massa, manteiga e 2/3 do molho preparado. Unte um pirex, deposite nele a massa, despeje mais um pouco do molho e um tanto de manteiga. Cozinhe em forno médio. Sirva quente.

Tagliolini com Ervilhas e Creme

500 g de tagliolini (verdes ou brancas)
1/2 cebola (sem picar)
1/2 kg de ervilhas frescas
1 colher de açúcar
150 g de manteiga
100 g de presunto cru
1/4 de litro de creme de leite
sal
pimenta-do-reino

Cozinhe rapidamente as ervilhas em pouquíssima água, com 1/2 cebola (que será retirada depois do cozimento). Ponha na mesma panela a manteiga, o presunto cortado em tirinhas, sal, pimenta a gosto e o açúcar. Quando a massa estiver ao dente, escorra, ponha-a na panela do molho. Acrescente o creme de leite. Acenda o fogo e mexa com delicadeza por 2 minutos.

AMARCORD

A meu pai, que foi um amante da boa mesa, dedico estas receitas e suas variantes. São à base de alecrim, que brotava espontâneo nas terras próximas ao mar Adriático e que confundia o seu perfume com a brisa do mar.

Cheiro de Osteria

1 kg de cappelletti de frango
250 g de manteiga da fazenda
2 dedos de 1 copo de azeite
4 dentes de alho
6 cebolinhas verdes
6 ramos grandes de alecrim, bem fresco
parmesão faixa-azul ralado
2 cravos
6 grãos inteiros de pimenta-do-reino

pimentas vermelhas

sal

Frite por bastante tempo a manteiga, mas não a deixe escurecer. Agregue os ramos inteiras de alecrim e as cebolinhas cortadas em 3 partes. Separadamente, frite no azeite o alho, a pimenta-do-reino e os cravos. Vá espremendo os dentes de alho com o garfo sem rompê-los e retire-os semicrus. Junte o azeite e a manteiga fora do fogo (depois de retirar as cebolinhas, o alecrim e o alho), o sal e jogue-os bem quentes sobre os cappelletti escorridos (mas não secos). Pulverize com queijo ralado abundante. Enfeite com cebolinhas, pimentas vermelhas e ramos de alecrim.

Tagliatelle ao Alecrim e Outros Cheiros

500 g de tagliatelle (brancas e verdes)

4 ramos de alecrim (só as agulhas)

parmesão ralado

120 g de manteiga

pimenta-do-reino

1 raminho de dill

2 folhas de hortelã

1 colher com folhas de óregano fresco

1½ colher de salsa picada

4 folhas de sálvia

1 folha de louro

8 folhas de manjericão

1 cebolinha verde

4 sementes de pimenta dedo-de-moça

sal

Triture todas as ervas juntas e as sementes de dedo-de-moça (exceto o louro e algumas agulhas de alecrim). Cozinhe o macarrão ao dente e escorra. Tempere com a metade da manteiga, as ervas picadas, o louro, um pouco de pimenta-do-reino e sal, e refogue por bastante tempo em fogo baixo, aumentando a chama pouco antes de retirar. Ponha queijo ralado e mexa por 2 minutos. Apague o fogo, acrescente o restante da manteiga e sirva enfeitando com as agulhas de alecrim reservadas.

Tagliolini com Alecrim

Cozinhe 400 g de tagliolini bem ao dente, em água com sal. Escorra-os e ponha por 5 minutos em frigideira com 200 g de manteiga na qual se refogou (em fogo forte para ficar verde) bastante alecrim. Cozinhe por 2 minutos, sempre em fogo forte, e retire. Acrescente 100 g de queijo ralado e sirva bem quente.

Penne com Alecrim e Tomate

Pique 3 dentes de alho, 2 pimentas dedo-de-moça e muitíssimo alecrim. Ponha numa panela: óleo, 2 kg de tomates sem pele e cortados miúdos, o alho, o alecrim e as pimentas. Depois de levar ao fogo por meia hora, adicione 1/4 de litro de creme de leite e junte à pasta todo o composto. Acompanhe com bastante queijo ralado.

NOS TRANCOS DA BIRMÂNIA

Rangoon — hoje Yangon — foi uma linda cidade do Sudeste asiático. Ficou paralisada depois da partida dos ingleses no final da década de 40. Com a influência soviética nos anos 60, essa cidade, capital da ex-Birmânia (atualmente Myamnar), sentiu-se mais independente, acreditando estar livre, moderna e revitalizada. Na realidade, o que os russos deixaram foi um hotel grande e primário, algumas estradas inacabadas e muitas idéias esperançosas. Mas a vida ensina há longo tempo que qualquer mudança grandiosa é difícil.

Quando visitei a Birmânia, fazia dez anos que o país era fantasma de seu próprio passado. Apenas os templos, com suas incríveis cúpulas de ouro, mostravam-se conservados. E atuantes. Os fiéis budistas cuidaram daquelas edificações através dos séculos. Rangoon oferecia pouco. Servia mais como base para que os turistas seguissem em direção ao interior birmanês. Os hotéis citáveis eram apenas dois: o imponente Strand (erguido pelos ingleses e agora restaurado) e um outro, construído pelos russos. Hospedei-me no hotel inglês, que ainda esbanjava pompa, apesar de o desgaste produzido pelo tempo agir em sentido contrário.

Arquitetonicamente, o prédio distinguia-se pelo estilo inglês do início do século, saindo da influência vitoriana para o art nouveau, como os grandes teatros, tribunais e estações ferroviárias locais. Salões enormes, colunas altas, espelhos, pés-direitos também altíssimos e ferragens douradas.

Enquanto as cozinhas do Strand Hotel esforçavam-se ao máximo para cumprir suas funções mediante um serviço precário, os elevadores funcionavam com toda a lentidão possível. Subir já era um fato notável. O arranque não acontecia ao se apertar o botão. Para meu assombro, quando as portas de ferro, madeira e cristal se fechavam, o *bell-boy* — vestido de branco com quarenta botões dourados — começava a pular, batendo os pés com força, para que o preguiçoso elevador se pusesse em movimento!

Durante anos, a Birmânia significou para mim duas coisas: os templos e o elevador. Até que li o relato de um jornalista que, ao visitar um amigo em Lisboa, também ficara maravilhado ao perceber que o elevador se movia apenas quando alguém pulava. Vinte anos mais tarde, aquele amigo do jornalista virou presidente de Portugal e ele voltou a visitá-lo. Para seu espanto, o elevador da residência da personalidade lusitana mais importante continuava a funcionar na base do pulo! O nome do amigo do jornalista é Mário Soares. Navegar é preciso? Na Birmânia e em Portugal, pular é o que às vezes se precisa. Vamos agora dar um pulo ao Sudeste asiático?

Arroz Birmanês

Use 50 g de arroz integral por pessoa. Lave o arroz em água corrente até remover o excesso de amido. Escorra por 10 minutos. Seque rápido no fogo, em panela de ferro, para eliminar o restante da água. Utilize 3 partes de água para cada parte de arroz e cozinhe em fogo baixo, fechando hermeticamente (ponha papel-alumínio entre a tampa e a panela). Evite destampar ou mexer, a fim de que o vapor circule livremente. Só assim o arroz cozinhará por igual, não ficando nem pastoso, nem cru nem queimado. Quando os grãos se tornarem tenros e firmes, o prato estará pronto. Deixe, então, a panela destampada por 2 minutos. Esse arroz pode ser cozido com ervas aromáticas, especiarias (frutas secas, uvas passas etc.), ou temperado no final com queijo cremoso, verduras ou iogurte. Complementa-se com qualquer salada.

ALHO EM ALTO-MAR

Cruzeiros de navio podem ser divertidos ou sumamente entediantes. De Gênova a Montevidéu, a viagem durava vinte dias. Enganava-se o relógio trocando de roupa no mínimo três vezes por dia ou visitando lojas para adquirir algo que já se comprara em terra firme. Caminhar pelo convés, tomar banho de piscina, jogar no bingo, observar o bar: tudo me provocava bocejos.

Restava a possibilidade de conhecer novas pessoas, falar bobagens, fazer fofoca. Pequenos grupos se reuniam para disseminar intrigas sobre outros bandos também pequenos, que, por sua vez, devolviam os fuxicos no mesmo tom. Tivemos sorte em uma dessas viagens, em 1956. Encontrava-se no navio, em turnê rumo ao Uruguai e Argentina, uma companhia de comediantes.O chefe da trupe. Peppino de Filippo, ator então bastante conhecido na Itália, provinha de família ligada às artes. Sua mulher era a prima-dona da companhia. Só o grupo era capaz de alterar o clima arrastado do trajeto transatlântico, infundindo-lhe ritmo de festa contínua. Peppino, todavia, como me confessou a esposa, era um homem triste. Não ria, apenas fazia graça em público. No máximo, mostrava os dentes pela metade. Assim, aprendi que fora de cena os cômicos são figuras melancólicas. Mas quem entende a mecânica do humor?

E aprendemos mais. Aldo Federico, por exemplo, a passar meus vestidos com o vapor do chuveiro — detalhe utilíssimo em viagens ou durante a falta de empregadas domésticas. E eu fiquei sabendo, vejam só, que as perucas antigas aplicavam-se pela frente, com base em uma borda de tule. Outra lição veio de Lidia Martora (era esse o nome da mulher do comediante). No intuito de contornar as depressões do marido, ela inventara um terceiro membro na família: o cachorrinho Bubi. O terrier recebia afagos constantes, inseria latidos nas discussões, alegrava-se quando ouvia fofocas, criava situações embaraçosas e divertia o navio com sua simpatia canina. O casal contou-me que Bubi até decidia o repertório do grupo; não me perguntem como. Sem os estímulos de Bubi, creio que eles enfrentariam períodos intermináveis de tédio conjugal.

Foi com o próprio Peppino, contudo, que aprendi o mais importante: como aromatizar deliciosamente uma terrina em que se servirá Spaghetti ao Alho e Óleo, ou qualquer molho que aceite a presença de alho cru. Desembarquei em Montevidéu, aquela vez, achando que as viagens de navio podiam ser proveitosas. Contanto que a bordo existam fofocas, lições de vida, e atores estudiosos do alho.

Profumo di Aglio

Eis o segredo de Peppino: esfregar, com azeite de alho ou alho cru cortado, a parte interna do recipiente em que serão servidos os spaghetti ao alho. O truque dá um sabor e um cheiro especialíssimo à massa.

À BEIRA DE UM TUFÃO CHINÊS

Dias felizes aqueles em que as férias duravam até três meses! Sobrava tempo para "dar a volta ao mundo", como se dizia. Foi o que fizemos chegando até Hong Kong. Segundo soube depois, aterrissamos durante o período de maior calor na região desde o início do século. Faltava água. Carros-pipas distribuíam o precioso líquido nas ruas, sob a vigilância de soldados ingleses. Nos hotéis, havia água por apenas duas horas ao longo do dia. Fui salva por caixas e caixas de Evian, cara e importada, usada para tudo.

Naquela secura, aceitamos com alegria o convite de um executivo britânico para navegar pela baía, juntamente com duas famílias, em um domingo. A embarcação era pequena, mas não vimos problema nisso: quando se viaja, qualquer experiência pode ser interessante. O passeio corria tranqüilo, quando a filha do executivo avisou sobre a previsão da passagem de um tufão. Nesse instante dei-me conta de que o nosso era o único barco que estava se afastando de Hong Kong. As sampanas dos pescadores voltavam aceleradas para o cais.

Hesitantes, perguntamos ao inglês se não seria melhor também desistirmos. Ele respondeu distribuindo camarões fritos e gim. Passou-se uma larguíssima hora, sem muitas conversas. Ficara nítida a nossa oposição: eu e Aldo Federico mostrávamos expressão preocupada. O barco balançava no mar agitado, enquanto um marinheiro chinês empenhava-se em tirar com um balde a água que não cessava de entrar. Ele parecia aflito com o número de pessoas a bordo e, como se poderia prever, aconselhou o inglês a retornar. Mas aquele gentleman não mudaria o seu programa por nada. Havia decidido chegar à cidade vizinha de Lan-tchen e se esticar na praia, e ponto final. Comecei a pensar que não valera a pena ter quase completado uma volta ao mundo para morrer afogada nos mares da China. Poderia ser uma aventura, porém o nome que se dá ao que eu estava vivendo era o que menos me interessava naquele momento. O marinheiro prosseguia retirando água do barco com o miserável balde.

Aproximei-me dos inimigos — já não os considerava anfitriões — e afirmei estar passando mal por causa dos solavancos do barco. Exigi que voltássemos o mais rápido possível. O inglês tentou me demover da idéia. Desconversou. Mas acabou se rendendo. E regressamos, não ao lugar de onde tínhamos zarpado, e sim a outro bem mais distante. De lá (graças a Buda, terra firme) nos dirigimos ao hotel. Sem reclamar da falta de água. O furacão não veio. E no jantar atacamos um esplendoroso banquete de mandarins.

Macarrão de Arroz com Siri

300 g de macarrão seco de arroz
5 siris
1 xícara de carne de siri prensada
2 cebolas pequenas raladas
1/2 xícara de cebolinha
2 dentes de alho
5 pimentas dedo-de-moça (deixadas na água por 1/2 hora)
sal a gosto
1/4 de xícara de açúcar mascavo
1/4 de xícara de suco de tamarindo
1/4 de xícara de molho de peixe (shoyu e peixe amassado)
300 g de broto de qualquer feijão

100 g de alho-poró

1/4 de xícara de azeite

3 limões amarelos do tipo siciliano

Descasque os dentes de alho. Pique, finas, a cebolinha e as pimentas. Junto com sal, soque-as num pilão. Acrescente o alho e as cebolas raladas. Soque tudo até obter uma massa. Retire, lave e corte a carne das patas dos 5 siris. Ponha o azeite na frigideira. Quando estiver bem quente, frite a pasta moída no pilão, acrescentando depois as patas dos siris. Doure bem. Pegue a massa e deixe-a de molho em recipiente com água durante 5 minutos. Escorra. Divida em 2 partes o molho das patas de siris fritas. Use uma parte para refogar o macarrão. Na outra, frite a carne de siri prensada. Ponha o macarrão numa travessa, misturado aos molhos, ao suco de tamarindo, ao açúcar mascavo e ao molho de peixe. Mexa mais uma vez. Adicione pedaços de siri, o broto de feijão e o alho-poró cortados em pedaços de 3 cm. Sirva com gomos de limão. Enfeite com flores miúdas.

O PANELÃO DO CEILÃO

Encontrávamo-nos em um restaurante defronte de um templo de 3 mil anos no interior do Sri Lanka, em meio ao verde, ouvindo os pássaros cantar. A calma idílica era uma sugestão de paz. Aldo Federico, em geral nervoso, parecia outra pessoa. Estávamos livres de preocupações no antigo Ceilão, a terra dos chás e dos budas.

Garçons sorridentes serviram-nos um prato local, os ótimos Sri Lanka Fried Noodles. Percebi que levava muitas verduras, pedaços de omelete e macarrão. Mas não era só isso. Quando voltamos para São Paulo, desejei ardentemente comer mais uma vez aquele prato asiático. Esse desejo nos fez escrever ao principal jornal de Colombo, a capital do país, solicitando que algum amável leitor nos enviasse a receita dos *noodles* cingaleses. Mas não pusemos muita fé em possíveis respostas. Três semanas depois, todavia, começaram a chegar cartas, cartas, e mais cartas do Sri Lanka. Total de cartas: 84! Parece mentira, mas ainda tenho todas guardadas e amarradas. Durante algum tempo não senti vontade nem coragem de enfrentar aqueles envelopes, tampouco anseio de decifrar as caligrafias complicadas. Quando enfim começamos a ler as cartas, descobrimos, pasmos, que as 84 traziam, cada uma, uma maneira diferente de preparar o tal macarrão.

O mais interessante — ou o mais tocante — era ver como aquelas pessoas entregavam suas vidas a dois desconhecidos do outro lado do planeta. Havia desde pedidos de notícias sobre parentes que haviam emigrado (confundiam São Paulo com Nova York) a relatos sobre a própria carreira. Um pedia que o ajudássemos a conseguir um emprego. Outros mandaram fotos e queriam que também mandássemos. Outros ainda simplesmente escreviam a receita e solicitavam indicações de especialidades da cozinha do Brasil. Entrei em pânico. Lamento, mas não respondi a ninguém. Fui egoísta perante aquelas palavras cheias de emoção, aflição e ternura.

Uma disciplinada amiga norte-americana, Lynne Logullo, que entende bastante de cozinha, foi quem se deu ao trabalho de ler as receitas, escolher as que mais se pareciam e transformá-las em uma única versão, adaptando a esta produtos que podem ser encontrados com mais facilidade no Brasil.

Sri Lanka Fried Noodles

250 g de tagliolini (quebrados em pedaços de 3 cm)

1/2 repolho pequeno picado

2 cebolas médias

1 pacote de brotos de feijão ou de soja

3 ou 4 cenouras

250 g de lombo de porco, pesado depois de cozido (ou 2 peitos de frango, ou presunto cortado)

2 colheres de molho de soja

2 colheres de manteiga

3 ou 4 colheres de óleo de milho

2 pedacinhos de gengibre fresco ralado

2 dentes de alho picados

2 talos de salsão picados

2 ovos para uma omelete simples

sal

pimenta-do-reino

Cozinhe o macarrão em água salgada. Escorra e reserve. Corte os legumes e a carne em tiras finas. Ponha a manteiga e o óleo numa panela bem grande, frite o alho e o gengibre, mexendo tudo por 2 vezes. Acrescente a cebola até que fique transparente, depois a cenoura. Adicione o repolho e os brotos, deixe por 3 ou 4 minutos. Junte a carne, deixe por 3 minutos. Acrescente o molho de soja e misture bem. Agregue a massa, corrija o sal e ponha pimenta-do-reino a gosto. Frite por mais 4 a 5 minutos. Espalhe por cima o salsão picado e tampe a panela. Diminua o fogo. À parte, prepare uma omelete simples. Corte em tiras e junte ao macarrão. Sirva.

MORDIDAS EM SEIOS HINDUS

Nunca me canso de falar da Índia. Lá as vacas são sagradas, as castas sociais dividem o país, os marajás habitam palácios fabulosos e os monges meditam em templos repletos de mistérios. Os homens considerados santos reverenciam um panteão interminável de divindades lendárias. As pinturas e esculturas dos templos exaltam deuses que atuam na vida terrena. Algumas obras celebram por meio de formas eróticas a força do amor, não como luxúria ou pecado, mas como caminho para a elevação e purificação.

O Kama-Sutra ensina maneiras minuciosas de obter completa satisfação no amor, demonstrando que todas as partes do corpo podem ser beijadas e também mordidas, com exceção do lábio superior, do interior da boca e dos olhos. Existem diferentes tipos de mordidas. A Escondida se revela por excessiva vermelhidão na pele. Na Inchada, a pele afunda nos dois lados. A mordida Ponto é executada com apenas dois dentes, enquanto a Linha de Pontos requer a participação de outros dentes. Coral ou Jóia se dá com dentes e lábios. A modalidade Novas Rotas aplica-se nos seios, no caso de os dentes serem separados. Pessoas passionais preferem conjugar seios e ombros na Mordida do Javali. Há ainda a Marca do Tigre, a Meia-Lua, a Folha de Lótus-Azul, e muitas outras variações.

Recordando esse costume ancestral (e na falta do que morder imediatamente), vamos atacar agora algumas berinjelas, cujo brilho, sedosidade e cor se assemelham aos da pele das apaixonadas mulheres indianas.

Conserva de Berinjelas

Utilize 2 kg de berinjelas, médias ou pequenas, consistentes. Corte-as em rodelas de 1,5 cm de espessura, com casca. Ponha-as, em camadas, num escorredor. Polvilhe cada camada com sal fino (pouco). Tampe e, por cima, coloque um peso. Deixe-as assim por pelo menos 2 horas, para que percam o amargor. Depois, lave rapidamente as berinjelas e seque-as com pano. Em panela grande, despeje 1,5 litro de bom vinagre de vinho tinto e 1,5 litro de água. Quando ferver, acrescente as berinjelas e cozinhe por 15 minutos em fogo baixo. Retire-as e coloque-as por 2 horas no escorredor. Na seqüência, acomode-as em recipiente de vidro, camada por camada. Entremeie as camadas com 6 dentes de alho cortados em fatias finíssimas, 1 maço de segurelha, 1 maço de hortelã, galhinhos de orégano fresco, raminhos de alecrim verde, folhas frescas de louro, muitas folhas de manjericão, alfavaca, algumas sementes de erva-doce, um punhado de cravos, bastante pimenta-do-reino (em grãos) e 4 pimentas dedo-de-moça cortadas (sem sementes). Recubra completamente com azeite ou óleo, deixe o ar sair e tampe. Pode-se guardar na geladeira. Se estiver bem coberta por azeite (ou óleo de qualidade), a conserva dura meses.

Sewian Zarda

Doce originário da porção islâmica da Índia

85 g de manteiga
6 cardamomos verdes em grãos
6 cravos
120 g de vermicelli
340 g de açúcar
2 folhas de prata para doces
1/2 litro de leite quente
85 g de queijo branco (queijo-de-minas)
1/4 de colher (chá) de açafrão

30 g de amêndoas amassadas e algumas inteiras

30 g de pistaches amassadas e algumas inteiras

1 colher (chá) de essência (rosas, amêndoas etc.)

Derreta a manteiga em fogo médio. Acrescente as pistaches e as amêndoas. Frite por 2 minutos. Junte os vermicelli e deixe dourar. Despeje o leite, junte os cravos e cardamomos, misture e tampe a panela. Cozinhe em fogo médio por 6 minutos, mexendo para que não grude. Retire do fogo quando o leite secar, tomando o cuidado de pescar os cardamomos e descartá-los. Acrescente o açúcar e o queijo branco em tiras finíssimas. Misture. Num refratário, leve ao forno médio até secar. Dissolva o açafrão em 1 colher de água, junte com a essência. Polvilhe sobre os vermicelli depois de cozidos. Retire tudo do refratário com auxílio de um garfo, ponha numa travessa e enfeite com as folhas de prata, além de mais pistaches e amêndoas.

OVERDOSE DE CAVIAR

Quando ainda reinava no caótico Irã, o último xá vivia em Teerã com a terceira esposa e os filhos, rodeado por fausto imperial calcado na cultura monárquica da Europa. O retrato oficial de Reza Pahlevi ao lado de Farah Diba era exibido em todas as paredes e vitrines da capital iraniana, de locais humildes e praças públicas a suntuosas propriedades particulares. Um culto quase obrigatório.

Os soberanos sorridentes, com suas jóias e coroas, eram dois personagens emblemáticos que pareciam se oferecer para proteger a população e amenizar as dificuldades sociais. Entretanto, não acontecia nada disso. Em vitrines providas de alarme eletrônico, vi no Banco Melli (o banco estatal) montes de esmeraldas, rubis, brilhantes de todos os formatos e tamanhos, metros de paredes cobertas por milhares de fios de pérolas, compondo cortinas de ostentação. Uma riqueza acumulada graças a guerras sangrentas e cruéis. Mais tarde chegou o petróleo trazendo o aiatolá Khomeini e suas mãos de alicate.

Mas é de outra coisa que quero falar. Lembro-me de que o caviar cinza, assim como as pedras preciosas, destinava-se aos milionários, integrando cardápios de hotéis de luxo. Nós turistas nos empaturrávamos exclusivamente de caviar: puro, com salada, com arroz, com pistaches, com iogurte, com pepino, com hortelã. Caviar, mais caviar, mais caviar, até o total fastio: não conseguíamos mais ver caviar por perto. Tanto que ainda hoje Aldo Federico prefere não tocar em caviar. E eu aviso: devagar com a louça, pois caviar pede moderação.

Pennette com Molho Cinza-Pérola

500 g de penne
250 g de mascarpone ou outro queijo cremoso
1 colher de caviar negro
noz-moscada
pimenta-do-reino
sal

Junte o mascarpone com o caviar, uma ponta de noz-moscada e outra de pimenta-do-reino. Misture com força e rapidamente até que adquiram um tom cinza-pérola. Com pouco sal, cozinhe as penne ao dente. Escorra, misture com o molho e leve ao fogo. Mexa por 2 minutos. Se a massa ficar ligada demais, acrescente um tanto da água do cozimento. Arrume em travessa previamente aquecida e enfeite com pétalas de cravo cor-de-rosa.

Ondas Vermelhas

500 g de tagliatelle (se possível de tomate)
300 g de salmão defumado em pedaços
2 colheres de pimenta vermelha em grãos (triturada)
1 vidro pequeno de caviar vermelho
1/4 de litro de creme de leite (consistente)
1/2 colher de purê de tomate

Cozinhe as tagliatelle ao dente em água salgada. Junte à massa primeiramente o creme de leite misturado ao purê de tomate. Na seqüência, acrescente os outros ingredientes e sirva.

TRILHAS DE MACARRÃO

Em viagens, geralmente tento satisfazer o vício de Aldo Federico, que quando não come macarrão padece de *delirium tremens*. Trato logo de descobrir um restaurante, uma pousada, uma *osteria*, uma tasca, ou seja lá o que for, que ofereça algo condizente com o paladar italiano. A busca serve também para sanar desacertos digestivos, às vezes inevitáveis. Ah, e como gosto de escapar dos cardápios "internacionais" dos hotéis!

Nossos conterrâneos têm obrigatoriamente a ver com pasta ou pizza. Pouco importa se boa ou ruim. Na Grécia, fomos parar em um simplório restaurante italiano, ladeado de moinhos movidos por burricos, à beira de um promontório. Nem sei como chegamos lá. Todo prosa, o dono quis servir no ato a sua massa nostálgica. Essas cenas ressurgem agora como pérolas perdidas de um colar desfiado. O macarrão lavou a nossa alma e a Grécia parecia sorrir pela janela. Estava bom o prato? Não sei. Tanto quanto desconheço se visitei a tumba de Agamenon ou de Menelau.

I Maltagliati del Nonno Greco

500 g de lasanha fresca
150 g de parmesão ralado

200 g de manteiga
70 g de azeitonas pretas
1/3 de 1 copo de alcaparras
70 g de uvas passas sem sementes
6 damascos secos
4 ameixas secas
30 g de castanhas-do-pará
50 g de tâmaras
30 g de pinhões
30 g de pistaches
1/4 de ricota
3 dedos de 1 copo de creme de leite
1 copo de leite
1/2 colher (café) de pimenta-do-reino moída
1/2 colher (chá) de canela em pó
1 pedaço de canela em pau
2 cravos
sal

Abra a lasanha e corte-a de maneira absolutamente irregular (maltagliati significa "mal cortado"). Ferva a massa aos poucos, em água salgada, com os 2 cravos e o pedaço de canela em pau. A massa deve ficar meio dura, não ao dente. Escorra. Espalhe as tiras de lasanha sobre um pano de prato úmido. Derreta a manteiga, junte o creme de leite, a pimenta-do-reino e a canela em pó. Desmanche a ricota no leite quente. Descaroce as azeitonas e as tâmaras, depois pique-as. Pique também os damascos e as ameixas. Quebre as castanhas-do-pará e os pinhões em pedaços grandes e parta as pistaches. Deixe as uvas passas de molho na água por 30 minutos. Recolha os maltagliati e arrume-os numa travessa, na qual serão agregados a manteiga preparada ao creme, mais o queijo ralado. Misture bem e adicione a ricota. Acrescente todos os outros ingredientes e sirva lambendo os beiços.

Parece mentira, mas ao viajar pela Noruega em um barco-correio, consegui comer pasta. Servida pela manhã, de maneira não tradicional.

200 g de spaghetti
8 ovos
4 colheres de geléia de tangerina
1 casca, finamente ralada, de tangerina
suco de 3 tangerinas
licor Amaretto para flambar
200 g de manteiga
1/2 copo de leite
3 colheres de maisena
parmesão ralado
pimenta-do-reino (opcional)

Cozinhe ao dente os spaghetti, escorra e tempere com 100 g de manteiga, metade da casca ralada de 1/2 tangerina, pimenta-do-reino, sal, parmesão e o suco das 3 tangerinas. Faça 4 omeletes com ovos bem batidos, pouco sal, a outra metade da casca ralada de tangerina e a maisena dissolvida no leite. Bata bem, frite na manteiga restante. As omeletes devem ficar macias. Quando prontas, recheie-as com a geléia e enrole rapidamente. Arrume-as em pratos individuais, pondo ao lado uma porção de spaghetti. Verta licor e flambe essa combinação no momento de levar à mesa.

Em Veneza, hospedei-me certa feita no *palazzo* — datado do século XV e situado sobre o canal Grande — que serviu de morada para o doge Andrea Gritti. Transformado em hotel na metade dos anos 50, o Gritti, para deleite dos hóspedes, parecia ter parado no tempo.

Dizem que Andrea Gritti sabia viver intensamente. Amava muitas mulheres. Em especial uma linda e humilde representante do povo. Dela, não se tem retrato nem se sabe o nome. Dele, ficou a receita de um prato popular em Veneza, a Pasta e Fasioi. Era com essa massa que a jovem festejava o doge quando ele a visitava. O Hotel Gritti inclui o prato no cardápio. Depois de prová-lo, pedi detalhes ao chef Cesare Gosi. Homem amável, satisfez o pedido e ainda me contemplou com outras preciosidades de sua cozinha — mal sabendo que eu as espalharia para Deus e o mundo. Fico devendo a receita do Doge.

Arroz Veneziano com Ervilhas

700 g de ervilhas frescas
500 g de arroz
1 colher (café) de açúcar
3 colheres de óleo
200 g de manteiga
120 g de presunto cru ou bacon (sem gordura)
sal
1 cebolinha média
1/2 maço grande de salsa
cerca de 5 xícaras de caldo de frango ou de carne
parmesão
pimenta-do-reino

Numa panelinha ponha um pouco de óleo, 150 g de manteiga, o bacon (ou presunto) picado, a cebolinha ralada e a salsa picada. Doure levemente. Adicione as ervilhas (lavadas e escorridas) e o açúcar. Deixe cozinhar, despejando, devagar, mais da metade do caldo de frango (ou de carne) fervendo (o mínimo necessário para as ervilhas não grudarem na panela). Depois de 5 minutos, quando as ervilhas estarão meio cozidas, junte o arroz. Cubra aos pou-

cos com o restante do caldo fervente. Próximo ao cozimento do arroz, acrescente sal. O arroz deve ficar cremoso: nem seco, nem aguado, para ser comido com garfo. Acrescente parmesão ralado, pimenta-do-reino moída na hora e a manteiga restante. Cozinhe o arroz em fogo alto, para que não perca o tom verde-brilhante.

Massa Verde com Aspargos e Camarões

400 g de fettuccine verdes finas
2 maços de aspargos
1 clara
2 gemas de ovos
1/4 de litro de creme de leite
150 g de mozarela ralada grossa
12 camarões grandes cozidos
azeite
sal
pimenta-do-reino

Cozinhe os aspargos no vapor e reserve as pontas com 5 cm de comprimento. Passe no liquidificador 2 colheres de creme de leite, 2 colheres de azeite, as gemas, a clara, sal e pimenta, 1 camarão em pedaços, a parte verde dos aspargos (sem fibras). Cozinhe o macarrão ao dente, adicione a mozarela ralada, acrescente o creme batido no liquidificador e o restante do creme de leite. Passe para uma travessa, dispondo por cima as pontas dos aspargos e os camarões.

Encontrei certa vez uma senhora numa feira de produtos naturais. Deliciadas com o frescor dos legumes da barraca dos japoneses, escolhíamos abobrinhas mínimas. Foi então que ela, nascida em Florença, contou-me a sua receita predileta. Pena que desconheço o nome daquela mulher para agradecer-lhe por esta singela maravilha.

Bavettine com abobrinha

Em frigideira com metade de azeite e metade de manteiga, ponha para fritar 6 filés de anchova amassados. Dois minutos depois, acrescente 600 g de abobrinhas microfatiadas, mantendo o fogo alto — mas não deixe que elas percam o tom verde. Quando ainda estiverem firmes, acrescente 2 conchas de molho de tomate (preparado com alho e azeite). Retire do fogo depois de 3 minutos, cubra tudo com muito queijo ralado e misture às bavettine cozidas ao dente.

INSETOS À MEIA-LUZ

Não sei se é algum temor ancestral ou uma questão de cultura, mas a simples visão de qualquer barata, baratinha ou baratona me paralisa, como se eu estivesse diante de um inimigo poderosíssimo. Fico atônita, sem saber como matar o ser que representa a sujeira e que pode surgir entre objetos que sempre considerei limpos. Sim, pois quando me deparo com baratas na rua, o medo e o nojo surgem de modo mais brando.

Scarafaggi em italiano (em dialeto romano, bagarozzi) ou *cucarachas*, em espanhol, as baratas pertencem ao mundo dos insetos, formado por mais de 277 mil espécies diferentes, com estruturas físicas interessantes. Os escaravelhos, por exemplo, eram considerados sagrados no antigo Egito, onde significavam a imortalidade e um laço divino com o Sol, havendo atingido mais tarde a categoria de amuletos. E o que dizer de insetos que têm nomes como tenebrionídeos, cicindelídeos ou coleópteros? Parecem-me simpáticos; já as horripilantes baratas, jamais consegui achar graça nelas, nem mesmo no nome.

As "minhas" já apareceram no banheiro e na cozinha, onde uma noite de verão, à meia-noite, quando fui buscar um copo de água, sonolenta, vi no chão uma baratona enorme, marrom-tabaco, de couraça brilhante. Era a primeira vez que um desses bichos medonhos entrava em meu apartamento. Teria vindo do jardim? Talvez o frescor do ambiente fosse convidativo. Fiquei imobilizada, sem pensar sequer na possibilidade de pegar uma vassoura e enxotá-la. Comecei a gritar feito louca, pedindo socorro a Aldo Federico, que, como homem e meu protetor, saberia dar fim à trágica aparição. Mas Aldo dormia profundamente. Eu permanecia aos gritos, olhando fixo para a desgraçada. Não queria perdê-la de vista, pois temia que se escondesse em algum canto inatingível. No auge do desespero, sem parar de berrar, de repente me dei conta de que ela estava imóvel e lembrei-me de algo que havia aprendido em meus estudos clássicos.

Júlio César, nos seus anais das guerras gálicas, relatou que os francos, quando lutavam, soltavam os cabelos louros compridos e pintavam o rosto com cores fortes. Cercavam os inimigos aos berros, que se confundiam com o som metálico das espadas e o ruído surdo dos cascos dos cavalos. Uma tática de guerra. A gritaria desorientava os inimigos, além de dar a impressão de que havia um número maior de guerreiros francos.

Sem que eu suspeitasse, meu embate com a barata empreendera o mesmo ritmo das lutas franco-romanas. A barata não se mexia, aterrorizada com a altura de meus gritos, fingindo-se de morta. Tal qual os inimigos dos francos! Inaugurei assim esta técnica de assustar baratas: berrar até paralisá-las, para que alguém as mate. Aquela vez, foi Aldo que acabou acordando e exterminou a barata. Contudo, a descoberta da técnica não mudou em nada os meus sentimentos: em se tratando de baratas, o pavor e a repugnância permanecem iguais. Agora, recupere-se dos sustos com tentadoras receitas que inventei envolvendo combinações com massas. Felizmente, entre os ingredientes não há nenhum inseto.

Spaghetti Catania

400 g de spaghetti

500 g de tomates maduros e consistentes

3 berinjelas

2 dentes de alho

1/2 kg de ricota seca

200 g de azeite

1 maço de manjericão

sal

pimenta-do-reino

Lave, seque e corte as berinjelas em fatias finas. Acomode-as numa tigela, polvilhe sal e deixe por 1 ou 2 horas para que soltem a água. Amasse os dentes de alho e doure-os em frigideira com a metade do azeite. Adicione os tomates sem pele e cortados de forma grosseira. Cozinhe no fogo médio por 15 minutos e acrescente o manjericão (quebrando as folhas com a mão), sal e pimenta-do-reino. À parte, frite as berinjelas na outra metade do azeite. Cozinhe os spaghetti, misture ao molho de tomate e junte as berinjelas. Prossiga misturando e finalize com a ricota ralada grossa.

Fusilletti all'Olivetto

600 g de fusilli

3/4 de litro de cerveja

150 g de provolone ralado grosso

250 g de parmesão ralado

2 poncãs

1 maracujá

3/4 de litro de creme de leite (sem bater)

130 g de manteiga

150 g de bacon magro defumado

pimenta-do-reino

sal

Frite o bacon cortado em tiras, retire do fogo e acrescente as cascas (raladas finíssimas) e o suco dos poncãs. Reserve. Bata no liquidificador a polpa do maracujá com 2 colheres de água e coe. Junte à mistura de bacon e poncãs, mais o creme de leite e sal. Reserve. Cozinhe bem os fusilli, em 400 ml de água, a cerveja e sal. Escorra, tempere com o provolone, o parmesão, a manteiga e verta o molho preparado. Mexa bem, ponha na travessa e sirva com mais parmesão ralado e pimenta-do-reino.

Maltagliati com Nozes

500 g de lasagnoni
parmesão ralado
300 g de nozes sem pele
1 pãozinho (só o miolo, molhado em leite)
sal
4 colheres de azeite
manteiga

Liquidifique rapidamente as nozes e o pão molhado, adicionando o azeite e sal a gosto. Quebre os lasagnoni em 3 ou 4 partes e cozinhe-os ao dente. Escorra. Acomode na travessa em camadas, acrescentando a cada camada parmesão ralado, manteiga e o molho de nozes. Se ficar seco demais, acrescente um pouco da água do cozimento ou creme de leite.

A RAINHA DO COXÃO MOLE

Os concursos de beleza, com garotas coroadas e tudo o mais, começaram nos anos 20. Na Riviera Francesa, em Hollywood, nos cinco continentes, misses brilhavam nem que fosse por um dia. Teria sido o cinema mudo, com suas divas de olhar fatal, o propulsor da mania de se homenagear a beleza feminina?

Publicavam-se fotos de moças em castos maiôs que deixavam livres só trechos das pernas e dos braços. Pesadamente maquiadas, preto nos olhos e batom vermelhão, suas *boquitas* apresentavam a forma de um coração diminuto. Outras fotos mostravam as vencedoras de concursos: a rainha com coroa, cetro e capa. Passaram-se os anos e eles se tornaram corriqueiros. Rainhas da Uva, da Cerveja, da Maçã, do Carnaval, das festas de bairro em honra de Nossa Senhora, rainhas dos Caminhoneiros, dos Aviadores, do 1º Batalhão de Infantaria, da Marinha, dos Padeiros, do Sindicato dos Alfaiates, da Congregação dos Cabeleireiros, dos Lojistas etc. Todas rainhas felizes, irradiando juventude.

Em casa também temos uma rainha. Chegou ao trono sem concurso nem sobressaltos preliminares. A nossa é a Rainha do Coxão Mole. Ganhou o título por ser linda, de raça puríssima, de fino trato, caráter altivo e linhagem nobre. E, no status de "filha única", merece carne de primeira comprada no Santa Luzia. Isso foi decidido pela nossa insubstituível ajudante Maria de Fátima Andrade, quando disse de maneira irrevogável que a carne da Pippa, a minha adorada gata — a Rainha do Coxão Mole —, devia ser, no mínimo, a melhor. *No mínimo*, é bom repetir, porque Maria já fez concessões e, para encurtar a discussão, renunciou ao filé mignon. E Pippa come diariamente sua carne limpa de qualquer gordura, peles e nervos, cortada em cubinhos, malpassada e à temperatura ambiente. E o coxão mole é de vitela, batido com capricho. De vez em quando Maria me lembra de preparar algum prato que leve coxão mole. Pena que Pippa não ache a menor graça.

Saltimbocca alla Romana

600 g de coxão mole
sálvia
100 g de presunto cru
100 g de manteiga
sal
pimenta-do-reino

Bata bem 600 g de coxão mole, cortado em fatias delicadas e não muito grandes. À parte, separe muitas folhas de sálvia fresquíssima e 100 g de presunto cru picado fino. Ponha 1 fatia de presunto e 2 folhas de sálvia sobre cada fatia de carne. Espete-as horizontalmente com palito. Em frigideira, derreta a manteiga, acomode os saltimbocca (a carne) e adicione, com moderação, sal e pimenta-do-reino. Deixe em fogo forte por 10 minutos, virando a carne quando pronta de um lado, rapidamente, para não tostar o presunto. Ao servir, disponha na travessa com o lado do presunto para cima, sem tirar os palitos. Na panela, derrame 2 colheres de água, raspe com colher de pau, acrescente um pedacinho de manteiga, deixe derreter e verta esse caldo por cima dos saltimbocca.

Tagliatelle all'Ossobuco

500 g de tagliatelle
600 g de ossobuco
1/2 copo de azeite
100 g de manteiga
1 copo de salsa picada
1 dente de alho
1 cebola pequena ralada
a casca ralada de 1/2 limão siciliano (médio)
1/2 cenoura (média) ralada fina
2 colheres de farinha de trigo
queijo ralado
sal
600 g de tomate (sem pele e sem sementes)
1 lata de purê de tomate

Passe as postas do ossobuco na farinha de trigo. Ponha na panela com a manteiga e o azeite. Deixe dourar. No fim do cozimento, adicione sal e a casca do limão. À parte doure, em pouco azeite, a salsa, o alho, a cenoura e a cebola. Quando estiver pronto, acrescente os tomates cortados em cubinhos e o purê de tomate. Misture tudo. Cozinhe por 5 minutos. Ferva e escorra as tagliatelle. Jogue o molho por cima e sirva na mesma travessa com as postas do ossobuco. Acompanhe com queijo ralado.

Milanesa com Molho de Alcaparras

Prepare filés à milanesa com boa carne. Corte muitas fatias de mozarela. Disponha os filés e o queijo em camadas entremeadas por um molho simples de tomate e cebola. Por cima do molho, 3 colheres com molho de alcaparras (receita a seguir). Leve ao forno até a mozarela ficar cremosa. Acompanhe com batatas fritas em palitinhos, também cobertas com o molho de alcaparras.

Molho de Alcaparras

Misture 2 colheres de água morna, um pouco de alcaparras cortadas bem miúdas, suco de 1 limão, sal, pimenta-do-reino moída grossa, bastante azeite, 5 folhas de manjericão picadas e 2 colheres de salsa picada (só as folhas). Leve ao freezer por 1 hora.

CON MUCHO GUSTO

Ouvi diversas histórias sobre as caçadas da família Savóia nas reservas reais que tinha nos Alpes. Esses antigos nobres italianos ostentavam direito absoluto à caça do *stambecco*, o cabrito montanhês. Biscoitos feitos à base do esterco do animal contribuíam para as razões de tamanho entusiasmo: eram considerados particularmente saborosos desde o período barroco. A mim, com meu paladar plebeu, esse requinte gastronômico provocava estranheza.

Também na corte dos Medici, damas e princesas chegavam às vezes a degolar quarenta cabritos por dia, além de veados e javalis. Senhores e cortesãos comiam as partes nobres dos animais. Cabeças e vísceras eram repassadas aos ajudantes de caça ou auxiliares de cozinha. De repente, um dos empregados inventou moda. Os miolos de cabra, impróprios aos padrões da culinária aristocrática, foram fritos em toucinho puro, comidos com prazer e elevados à condição de iguaria.

Os chifres de veado, cujas virtudes afrodisíacas se enalteciam, eram cozidos de maneiras variadas. Os tenros se transformavam em pratos finos, ao passo que os duros eram utilizados no preparo de gelatinas. Ralados, os galhos ósseos serviam de condimento. Tais práticas culinárias foram mantidas até meados do século XIX. O imperador austríaco Francisco José, o bigodudo esposo de Sissi, colecionou centenas de troféus de caça nas paredes de seu palácio de verão em Bad Ischl, embora não devorasse os pobres cabritos.

Mas os deuses não premiam excesso de pontaria, uma destreza

que às vezes resulta em fiasco social, como ocorreu duas décadas atrás com o conde Enrico Marone. Era o maior especialista do mundo na caça aos veados da América do Norte, para onde viajava todo ano durante o período de reprodução dos animais. Grandes galhadas de chifres entusiasmavam seus instintos de caçador. Estudava com antecipação científica os deslocamentos dos veados, sabendo de antemão por onde passariam os garbosos machos, com suas esplêndidas galhas, ansiosos pelo sexo das fêmeas.

No início dos anos 70, o conde visitou oficialmente a Argentina, tendo sido recebido pelo último general a ocupar a presidência. O militar, mal instruído por assessores sobre a fama de caçador de veados do nobre italiano, trocou as bolas e resolveu pedir um singelo presente. "Con mucho gusto", exclamou o conde, inflado de orgulho e já pensando na proeza de atirar no mais raro dos veados. O general, entretanto, não queria animais de porte. Seu único desejo era ganhar, daquele caçador tão bravio, um pássaro. Um melro preto falante e vivo! O presente nunca foi entregue. E o caso entrou para os anais diplomáticos.

Tortiglioni con Funghi, Bacon e Presunto de Javali

500 g de tortiglioni

200 g de bacon magro defumado

350 g de presunto de javali (magro) cortado em tiras

1 gema

100 g de manteiga

pimenta-do-reino moída

1 concha de molho de funghi secchi (receita seguinte)

1 copo de creme de leite (não batido)

sal

parmesão ralado

Corte o bacon em pedaços pequenos e frite-o até derreter. Reserve. Ferva e escorra os tortiglioni, salpique com bastante parmesão ralado. Adicione o creme de leite, a pimenta-do-reino, a manteiga derretida e a gema. Acrescente o bacon reservado e a concha do molho de funghi. Prove e corrija o sal. Espalhe sobre o macarrão o presunto de javali. Sirva acompanhado por mais parmesão. Como opção, verta o molho de groselhas (receita na p. 279) nos pratos já prontos.

Molho de Funghi Secchi

200 g de funghi secchi
1/2 cenoura ralada finíssima
1/2 cebola média ralada finíssima
300 g de manteiga
1 folha de louro
1 dente de alho
1/2 copo de martíni seco
1/4 de litro de creme de leite (sem bater)
sal

Em 2 dedos de um copo d'água, cozinhe durante 1 hora a cenoura, a cebola e 1 colher de manteiga em uma panela, acrescentando mais água, aos poucos, quando necessário. Paralelamente, os funghi secchi devem ser postos em uma vasilha e cobertos com água, onde ficarão de molho de 10 minutos a 1 hora (dependendo da sua consistência e procedência), para amolecer. Escorra-os e corte-os em pedaços pequenos. Reserve essa água, eliminando a terra que se deposita no fundo. Em outra panela, despeje a água dos funghi e junte o dente de alho inteiro e a folha de louro; deixe ferver até a metade do líquido evaporar. Acrescente, então, o preparado da cebola com a cenoura, os funghi cortados e o restante da manteiga. Após 10 minutos, adicione o martíni e sal. Retire o dente de alho. Quando o líquido estiver reduzido à metade, tire do fogo, misturando na seqüência o creme de leite.

Molho de Groselhas

100 g de groselhas maduras
100 g de cerejas frescas
350 g de calda demi glacée (ou calda)
350 g de geléia de cereja
2 cebolas médias
200 ml de vinho do Porto

Triture bem as cebolas no liquidificador, com 3 partes do vinho do Porto. Numa panela, cozinhe a calda demi glacée com as cebolas trituradas. Junte à geléia de cereja e cozinhe em fogo moderado. Noutra panela, ferva as groselhas inteiras e as cerejas cortadas em 4 (sem caroço) com o restante do vinho. Deixe no fogo baixo por 5 minutos. Peneire. Misture depois essas groselhas e cerejas ao molho final. Sirva quente.

SALAMÊ MINGÜÊ

Os humanos fingem não ser cruéis, mas acreditam que a sensibilidade é atributo exclusivo dos seres racionais. Uma vez, voltava de férias, vi na estrada um caminhão que carregava dezenas de porcos alojados em jaulas de madeira. Pode-se imaginar qual seria o destino daqueles animais. Por muitos quilômetros seguimos atrás do caminhão. E participei, minuto a minuto, da agonia dos porcos. Em um rompante, decidi que nunca mais comeria carne suína. A promessa não foi cumprida de modo assim tão drástico: gulosa que sou, continuei a atender ao chamado do presunto cru e do salame cortado grosso.

Aos poucos estou tentando suprimir da minha dieta produtos de origem animal. Não entendo o motivo por que lagostas devem ser amarradas e jogadas ainda vivas no caldeirão. O Capitone, prato tradicional no Natal italiano, é feito com enguias cortadas também vivas e depois cozidas. Odeio restaurantes especializados em peixes, em cujos aquários o cliente escolhe a vítima que vai saborear. Será que lagostas ou enguias cozidas vivas serão mesmo mais saborosas? Ou isso não passa de atavismo bélico proveniente de eras em que os homens enfiavam lâminas na carne viva dos inimigos?

Li, em um lindo livro sobre a vida secreta das plantas, um episódio esclarecedor, que todavia só vale para quem aceita o fato de que as plantas também têm sensibilidade. O texto descrevia a reação química das folhas de um tipo de verdura quando camarões eram jogados vivos na mesma água fervente em que se encontravam. E o que dizer de gansos imobilizados para engordar, forçados a engolir comida com a ajuda de um pau? E dos cachorros devorados pelos coreanos?

Sob o pretexto de que a carne das víboras provocaria a recuperação da beleza perdida e aumentava o tempo de vida, fidalgos privilegiados dos séculos XVII e XVIII comiam aves nutridas apenas com víboras. Além disso, faziam-se para eles caldos e infusões de vinho em que previamente eram afogadas víboras vivas. Em Hong Kong encontram-se até hoje pelo menos quarenta restaurantes que oferecem exclusivamente pratos à base de cobras, as quais ficam guardadas vivas em gavetas à espera de serem utilizadas no preparo de uma espécie de sopa apreciadíssima. Crônicas antigas falam de um nobre debilitado, da metade do século XVII, que se alimentou por quatro semanas seguidas com víboras. O menu? Pela manhã, um caldo feito com meia serpente fatiada. No almoço, pão com sopa viperina, mais o coração, o fígado e a carne do réptil. Bebia apenas vinho de víbora. À tarde, a mesma carne preparada de diferentes maneiras. Na ceia, uma sopa semelhante à do almoço. As crônicas não relatam o resultado do tratamento.

Comum também no Oriente era embriagar animais para depurar sua carne. Na China, além de gafanhotos fritos vivos em mel, come-se o raro — horror dos horrores — cérebro de macaco. Cru! O tampo da cabeça do indefeso animal vivo é cortado à mesa, e os miolos são devorados na hora. No interior do México, vendem-se picolés com pequenas taturanas que despontam a cada lambida. Crueldade humana, satisfação das papilas gustativas. E os abatedouros de gado? E as tartarugas dizimadas na Amazônia? E os perus decepados? Qualquer dia passo a me alimentar só de água, pedras e gravetos secos.

Carbonara ao Forno com Açafrão

500 g de penne
1 ovo inteiro
2 gemas
1/2 pacote de bacon magro
150 g de manteiga

2 colheres (chá) de açafrão

farinha de rosca

parmesão ralado

sal

Para o molho branco:

½ litro de leite

50 g de manteiga

3 colheres de farinha de trigo

sal

Prepare um molho branco simples. Ao tirar do fogo, misture o açafrão. Corte o bacon em pedacinhos, retirando qualquer excesso de gordura, e deixe derreter em fogo brando, numa panela pequena. Acrescente, aos poucos, cerca de 130 g da manteiga. Estará pronto quando ficar derretido e levemente dourado. Cozinhe as penne a meia cocção, tempere rápido (para aproveitar o calor) com o ovo, as gemas e o parmesão. Adicione o resto da manteiga, o resultado do bacon derretido e ⅓ do molho branco. Corrija o sal. Arrume tudo em pirex untado com manteiga. Cubra com o molho branco necessário, polvilhe a farinha de rosca, mais queijo ralado, e espalhe pedaços de manteiga. Ponha no forno bem quente para dourar o mais depressa possível. Receita para 6 pessoas.

Spaghetti alla Carbonara

500 g de spaghetti

80 g de manteiga

200 g de bacon sem gordura

2 ovos inteiros

2 gemas

$^1/_2$ copo de vinho branco seco

120 g de parmesão (ou pecorino) ralado

150 ml de creme de leite fresco

pimenta-do-reino

sal

Fatie o bacon e ponha-o numa panelinha com 20 g de manteiga. Deixe em fogo médio até dourar. À parte, misture o vinho, os ovos, as gemas e metade do queijo ralado, mais 60 g de manteiga derretida, o creme de leite, sal e pimenta-do-reino moída na hora. Corrija o sal. Cozinhe os spaghetti ao dente e junte à mistura, acrescentando o bacon dourado. Sirva acompanhado do que restou do queijo ralado.

ORGIA DE SAPOS

Existem animais que suscitam medo e asco na maioria das pessoas. O sapo, por seu aspecto pré-histórico, não entra em nenhum padrão de beleza que costumamos aceitar: sua pele luzidia, os membros desproporcionais e o olhar estático compõem um visual assustador. Além do mais, há a língua que se projeta longe para engolir insetos. E alguns deles fazem um xixi venenoso. Tudo é bizarro nos sapos.

Nos Alpes italianos, acredita-se que eles sejam a reencarnação das almas e por isso não devem ser perturbados. Na Sicília, crê-se que quem esmagar um sapo ficará cego, perderá um parente, ou terá morte violenta, e suas noites serão perturbadas por pesadelos repletos de batráquios.

Atrás de uma casa em Punta del Este havia um monte de lenha armazenada para lareira. Certa vez descobri um sapo enorme escondido por ali e gelei. Possuída pelo pavor e pela repugnância, gritei por meu irmão. Ele atendeu e, tomado de ímpetos heróicos, começou a golpear o pobre animal. Mas o sapo não morreu. Meu irmão conseguiu apenas feri-lo e afugentá-lo. Ainda hoje sinto amargo arrependimento por nossa ignorância.

Mas a vingança aconteceu. Tivemos um verão estranho. Passei a encontrar escorpiões na lenha, debaixo da cama e nas malas. Apareceram também duplas de tarântulas. Embora não tenhamos sido picados, nunca mais voltamos lá. Um ano depois, compramos um sítio na Argentina. Ironia do destino: o terreno e o jardim eram habitados por sapos. Tantos, que eu, já livre do pavor do tempo de Punta, quis homenagear o sapo que supliciamos ali. E em sua honra, dei o nome de Los Sapos ao novo sítio. Mais tarde ganhei uma placa esmaltada com o número 136, comprada em uma demolição. Pendurei-a na porteira, e a propriedade foi rebatizada de Los 136 Sapos, nome que bordei nas toalhas, guardanapos e cortinas do sítio. Iniciei uma coleção de sapos decorativos, sempre na intenção de enaltecer o animal martirizado.

O local também virou refúgio de rãs. Quando estavam no cio, enchiam a piscina, permanecendo grudadas e imóveis enquanto faziam amor. Pela manhã, víamos dezenas e dezenas de rãs atracadas de formas diferentes, em uma grande orgia coletiva. Senti-me, então, perdoada. Croac!

Lasagnotti alla Menta

500 g de lasanha seca

1 colher (chá) de açafrão

18 talos de cebolinhas verdes (cortados em pedaços de 1 cm)

4 ramos grandes de hortelã (só as folhas)

200 g de manteiga

2 dedos e 1 colher de azeite

sal

parmesão ralado

Frite as cebolinhas por 5 minutos em fogo alto, na manteiga e em 2 dedos de azeite. Junte o açafrão, a hortelã e o sal. Deixe mais 1 minuto, para que tudo permaneça verde e semicozido. Cozinhe a lasanha ao dente e escorra. Misture 1 colher de azeite, muito parmesão ralado e a quantidade necessária do molho que preparou. Corrija o sal. O que sobrar, sirva à parte em molheira.

Rigatoncini con La Panonta

500 g de rigatoncini medianos
3 lingüiças em rodelas
1 ricota seca (ralada fina)
1 queijo de cabra médio (ralado grosso)
15 tomates secos cortados em 4
2 colheres de folhas de orégano fresco
pimenta-do-reino
1 folha de louro
10 folhas de sálvia
1 ramo pequeno de alecrim
4 cebolinhas verdes inteiras
2 colheres de azeite
sal

Numa frigideira, ponha o azeite e 6 colheres de água, as rodelas de lingüiça, os tomates secos e os temperos inteiros. Cozinhe em fogo médio, alternando com fogo forte, até ficar no ponto. Acrescente água se for necessário. As lingüiças largarão uma gordura (panonta). Retire os ramos de alecrim. Cozinhe os rigatoncini e acrescente as lingüiças, a gordura que se juntou e as folhas pequenas dos temperos. Misture o azeite e um pouco dos 2 queijos ralados. Ponha numa travessa os rigatoncini e por cima os tomates secos, com um pouco de pimenta-do-reino. Acompanhe com os queijos ralados.

Molho de Bacon e Tomate

$1\frac{1}{2}$ kg de tomates maduros e sem pele
1 copo de azeite

200 g de bacon magro

4 lingüiças, em rodelas

1 pitada de pimenta calabresa

manjericão abundante

queijo pecorino ralado

sal

Cozinhe rapidamente, em frigideira de ferro, as lingüiças, usando pouca água (3/4 de 1 copo) e o mínimo de azeite. Reserve a água com a gordura que surgir do cozimento. Corte e frite o bacon em fogo forte, também em frigideira de ferro, junto com a pimenta calabresa. Quando estiver pronto, acrescente por 2 minutos as folhas de manjericão. À parte, frite no azeite os tomates cortados em cubos. Misture tudo. Prove e corrija o sal. Esse é um molho ideal para qualquer massa de formato grande. Sirva com queijo pecorino ralado.

Pasta com Molho de Cenoura e Hortelã

500 g de penne (ou spaghetti)

folhas de hortelã (em grande quantidade)

1/2 litro de creme de leite

parmesão ralado

350 g de cenoura

350 g de cebola

200 g de manteiga

pimenta-do-reino

1 colher de açúcar

Numa panela ponha as cenouras em pedaços, as cebolas raladas, o açúcar, 50 g de manteiga e 2 colheres de água. Tampe e cozinhe no mínimo por 2 horas. Se necessário, acrescente colheres de água, uma por vez. Cozinhe a massa ao dente e misture ao restante da manteiga já dissolvida, adicionando queijo ralado. Despeje uma parte do creme de leite aos poucos, formando uma liga cremosa. Verta em seguida o molho da cenoura e da cebola, misturado a mais um tanto de creme de leite. Arrume a massa em travessa, polvilhe mais queijo, pimenta-do-reino moída na hora e as folhas de hortelã. À parte, acompanhe com folhas de hortelã.

COBRA CRIADA, GALINHA FELIZ

Em Buenos Aires contratamos um motorista italiano naturalizado argentino. Ele deixara seu povoado nos montes da Calábria em companhia do pai, que havia abandonado a família na Itália e viera atrás daquela fabulosa América das lendas do Eldorado. Barbuto imigrou bem moço. Trabalhou duro como camponês. Tinha seus limites, mas era esforçado: conseguiu trazer a mãe para a Argentina e ali constituiu família.

Sua mãe continuava exatamente a mesma camponesa sofrida. Sentia-se perdida na grande metrópole e jamais saía de sua casinha, perpetuando os costumes do povoado de onde vivera, Castel del Monte Calabrese — vilarejo primitivo e indiferente ao correr dos séculos. Em um dos quartos, ela instalou um galinheiro. Com quarenta galinhas! Acordava às três da madrugada. Às quatro, recolhia ovos frescos. Dera nome às galinhas, e cada uma, ao olhar para ela, retribuía sua dedicação com cacarejos de carinho, demonstrando o amor sincero e desinteressado próprio apenas dos animais. Era um afeto diferente daquele tão apressado que recebia do filho.

Também uma comadre da mãe de Barbuto, a qual ficara sozinha no mundo, criava galinhas, e além delas uma cobra que atendia ao ser chamada pelo nome: Peppina. A cobra dormia na cama com a mulher. Peppina era gulosa e adorava leite morno. Todos os dias compensava sua dona com olhares afetuosos, diferentes dos olhares frios das serpentes. Quando ouvi tais histórias, por imaturidade ou falta de experiência, achei absurdo alguém levantar à noite, no frio do inverno, para preparar a ração das galinhas. Hoje, acordo de madrugada para esquentar o leite de minha gata, e acho normalíssimo. Na época, eu pensava que aves eram aves e plantas eram plantas. Mudei. Acredito agora que todas as criaturas, inclusive galinhas ou répteis, têm sentimentos. Bem, mas já que poucos ocidentais comem cobras, passo uma receita que me recorda a santa mãe daquele motorista.

Medalhão de Frango e Alcachofra

Moa alguns peitos de frango previamente fervidos. Misture 2 gemas de ovo, uma ponta de curry, 1 cravo esmagado, sal e um pouquinho de gengibre ralado. Prepare como se fosse um hambúrguer. À parte, faça um molho branco bem consistente. Passe os peitos de frango no molho branco e deixe-os cobertos completamente por uma camada espessa, submergindo-os em seguida nos ovos batidos e depois em farinha de rosca. Frite em bastante azeite quente, até dourar. Antes de fritar, afervente os fundos de meia dúzia de alcachofras, salpicando-os então com folhinhas frescas de dill, mais orégano persa (segurelha). Repita o mesmo tratamento dado ao frango, fritando até dourar. Arrume com arte numa travessa e sirva ainda quente.

BRIOCHES, RATOS E CHAMPANHE

Os molhos franceses (*sauces*) trazem muitas vezes nomes de nobres, generais, ministros e políticos que foram pessoas célebres em séculos passados: Bercy, Colbert, Mornay ou Soubise. A arte da mesa distinguia as casas das elites daqueles tempos. Famílias de posses ostentavam nos banquetes não só preciosos aparelhos de cristal, prata e porcelana da China, como também cozinheiros iluminados. Havia ainda os *gentilhommes*, cujo ofício era presidir o preparo ou o corte das carnes, das caças, dos peixes e dos queijos. Aos *sommeliers* cabia cuidar dos vinhos. A outros era confiada a escolha dos doces e frutas. Enfim, na retaguarda das iguarias, uma legião de atendentes. Assim viviam os poderosos.

É óbvio que aos pobres e desfavorecidos reservava-se outro cardápio. No preâmbulo da Revolução Francesa, quando a fome já desgovernava Paris, o pão era raro. Nem seria preciso lembrar a péssima frase da ingênua e mal-aconselhada Maria Antonieta, que conclamou os miseráveis a substituir pães por brioches.

Quase um século depois Paris seria sitiada pelo exército da Prússia — eternos inimigos. O povo, os pequeno-burgueses e os abonados que não conseguiram fugir sofreram agruras durante meses. Os alimentos foram escasseando até acabarem de vez. Uma agonia. Que remédio? Mas sempre se encontra uma saída, e as ratazanas que corriam pelos esgotos foram caçadas como se fossem lebres e vendidas a preços altíssimos. Cozidas e deglutidas. Entretanto, enquanto faltavam alimentos e a pança rosnava, as adegas — paixão de todas as classes sociais francesas — seguiam faustosamente lotadas. Vinhos de boa safra, champanhes de renome e licores perfumados acompanhavam as ratazanas servidas. Os parisienses brindavam para esquecer da vida. E dos roedores no prato.

França, França, França. Nunca mais os gauleses pensaram em ratos. Pelo contrário. Por isso, recupero uma receita, não de comida, mas de um tônico afrodisíaco de autoria de Madame Carita — criadora de penteados inesquecíveis e perfumes notáveis, contemporânea de Elsa Schiaparelli e Coco Chanel. Alguém aí falou em ratos?

Coquetel de Madame Carita

Em coqueteleira com gelo picado, ponha 2 centilitros de Cointreau, 2 centilitros de Armagnac e 1 colher (café) de mel. Agite. Despeje uma pequena quantidade numa taça para champanhe (quanto mais fino o cristal, melhor). Encha a taça com champanhe: Mum, Veuve Clicquot, Ponsardin, Moët Chandon (ou outra marca, contanto que seja brut e esteja bem gelado). Para acompanhar, faça uma salada de frutas verdes. Corte kiwis em fatias grossas e uma laranjinha-da-china em fatias finas, sem tirar a casca. Junte bolinhas da parte verde de um abacate, algumas uvas italianas sem sementes, mais cubinhos de melão. Acrescente poucas framboesas. Polvilhe com açúcar e um chorinho de champanhe. Deixe na geladeira por 1 hora e sirva gelado.

PÂNICO EM BANGKOK

Estive várias vezes no aeroporto de Bangkok, quando visitei a Tailândia ou em escala de viagens a países vizinhos. Por ser ponto de distribuição de vôos no Sudeste asiático, o local sempre estava abarrotado de gente, sentada ou em pé, que tratava de enganar o enfadonho tempo de espera. Os passageiros costumam ser quase todos orientais, o que deveria significar mais pacientes e disciplinados. Ao menos é no que acreditam os ocidentais.

Em um desses desembarques, de repente começaram todos a correr de um lado para o outro, juntos como um corpo único em fuga. A gritaria ensurdecedora também parecia ser produzida por uma única voz. Pânico geral. Não dava para entender nada. Até que ouvi, mais alto ainda: "Big animal! Big animal!". Depois, ruídos de vidros quebrados, tiros, e o pânico prosseguiu. A meu lado, funcionários do aeroporto e dois policiais me olhavam, se olhavam, e tentavam enxergar por cima da multidão. Seria um tigre, o *big animal*? As pessoas continuaram a se mover, já menos histéricas. Os gritos tornaram-se mais baixos, se é que isso é possível. O terror cedera lugar à surpresa. O monstro em questão não era um tigre, nem um elefante. Tratava-se de um búfalo que fugira do vagão de carga de um trem parado na estação próxima dali. O animal tinha corrido desembestado para escapar à captura e entrara no saguão do aeroporto. Enlouquecido, atingiu o pátio dos aviões, voltou para a área de embarque e bateu em uma enorme divisória de vidro. Foi quando ouvimos os disparos. Ferido, foi enlaçado e devolvido ao dono.

No domingo seguinte, a bagunça bufalina ganhou destaque no *New York Times*. O dono foi considerado responsável pelos estragos e condenado a pagar todas as despesas. O búfalo ferido teria de ser sacrificado. Porém, os fiéis de um certo templo, comovidos com a situação, compraram o animal e o doaram ao patrimônio do templo não como vítima, mas como oferenda.

Qual seria o significado profundo do episódio? O rompante do animal foi considerado manifestação de algo incomum e sagrado. E como teria sido o caso relatado aos visitantes do templo? Como passará à posteridade, que lenda nos séculos vindouros contará esses fatos? O artigo do jornal americano dizia que o dinheiro conseguido com a venda do búfalo permitiu ao dono saldar as dívidas com a administração do aeroporto. O *big animal* ganhou bons tratos, conquistando o direito a uma existência mais livre. E caso o ex-dono quisesse, teria permissão para visitar o búfalo, e, quem sabe, começaria também ele a venerá-lo.

Talharim com Anchovas e Mozarela de Búfala ao Forno

700 g de talharim
100 g de manteiga
7 pedaços de mozarela de búfala
7 anchovas sem óleo
3 ovos
sal
pimenta-do-reino

Cozinhe o talharim ao dente, escorra e ponha a manteiga previamente derretida. Acrescente os ovos muito bem batidos, com pitadas de sal e pimenta, adicionando a mozarela em tiras grossas e as anchovas cortadas em tirinhas. Leve ao forno em fôrma refratária untada até que a mozarela derreta.

Mozzarella in Carrozza con Pasta Fritta

400 g de mozarela
500 g de fettuccine
óleo de milho
manteiga
2 gemas
3 ovos
parmesão ralado
2 colheres de maisena
sal

Cozinhe bem as fettuccine, cortando-as depois em pedaços de 8 a 10 cm de comprimento. Envolva-as com um pouco de manteiga, muito queijo ralado, 2 gemas e 3 ovos batidos com 2 colheres de maisena (e sal, se necessário). Misture bem. Frite essa mistura (1 1/2 colher por vez) em bastante óleo quente, dando-lhe, com auxílio de um garfo, um formato achatado e uniforme. Doure claro e vire. Ao retirar do fogo, ponha sobre papel absorvente. Ao término da fritura, ponha os pedaços, de dois em dois, um sobre o outro, recheando-os com fatias de mozarela (como em sanduíches). Disponha-os no pirex que irá à mesa e deixe no forno já aquecido até que a mozarela derreta. Sirva pelando.

Macarrão Frio ao Cheiro d'Oriente

500 g de macarrão em forma de conchinhas
300 g de cebola
300 g de cenoura
8 cravos

5 paus de canela
3 dentes de alho
1 pimenta dedo-de-moça
1 limão
1/2 copo de vinagre
óleo
8 folhas de louro
100 g de uvas passas brancas sem sementes
1 colher de açúcar
5 talos de salsão
5 folhas de manjericão
sal

Em fogo alto, frite no óleo os dentes de alho descascados, os cravos, os paus de canela, as cenouras raladas grossas, as cebolas raladas e a pimenta cortada em tirinhas. Antes de dourar, acrescente aos poucos o sumo do limão, a colher de açúcar e as folhas de louro. Vá adicionando com calma o vinagre, os talos de salsão cortados e metade das uvas passas (previamente deixadas na água por meia hora). Mantenha o fogo bem vivaz e o cozimento o mais rápido possível. A cebola deve ficar transparente e os outros ingredientes em tons dourados. Por último, polvilhe um pouco de sal. Reserve. Cozinhe as conchinhas ao dente e escorra. Adicione 2 colheres de óleo e o molho já pronto. Se achar o resultado final um pouco seco, adicione 1 ou 2 colheres da água do cozimento. Ponha em travessa rústica, salpicando por cima o restante das uvas passas e enfeitando com mais pauzinhos de canela e folhas de manjericão.

Prepare o prato 2 ou 3 horas antes de servir, para que chegue frio à mesa.

Índice de Receitas

ESTA OBRA FOI COMPOSTA PELO ESTÚDIO O.L.M. EM BEMBO, TEVE SEUS FILMES GERADOS PELA EPS E IMPRESSA PELA HAMBURG GRÁFICA EDITORA EM OFF-SET SOBRE PAPEL G-PRINT DA STORA PARA A EDITORA SCHWARCZ EM JUNHO DE 1997.